200 RECETTES
FAIBLES EN GLUCIDES
POUR LA
MIJOTEUSE

Des repas sains qui sont prêts quand vous l'êtes

Dana Carpender

Traduit de l'américain
par Martin Kurt

Copyright ©2005 Dana Carpender
Titre original anglais : 200 low-carb slow cooker recipes
Copyright ©2005 Éditions AdA Inc. pour la traduction française
Cette publication est publiée en accord avec Fair Winds Press, Gloucester, MA
Tous droits réservés. Aucune partie de ce livre ne peut être reproduite sous quelle que forme que ce soit sans la
permission écrite de l'éditeur sauf dans le cas d'un critique littéraire.

Éditeur : François Doucet
Traduction : Martin Kurt
Révision linguistique : Nicole Demers et André St-Hilaire
Révision : Nancy Coulombe
Graphisme : Sébastien Rougeau
ISBN 2-89565-325-9
Première impression : 2005
Dépôt légal : troisième trimestre 2005
Bibliothèque Nationale du Québec
Bibliothèque Nationale du Canada

Éditions AdA Inc.
1385, boul. Lionel-Boulet
Varennes, Québec, Canada, J3X 1P7
Téléphone : 450-929-0296
Télécopieur : 450-929-0220
www.ada-inc.com
info@ada-inc.com

Diffusion
Canada :   Éditions AdA Inc.
France :   D.G. Diffusion
            Rue Max Planck, B. P. 734
            31683 Labege Cedex
            Téléphone : 05.61.00.09.99
Suisse :   Transat - 23.42.77.40
Belgique : D.G. Diffusion - 05.61.00.09.99

Imprimé au Canada

Participation de la SODEC.
Nous reconnaissons l'aide financière du gouvernement du Canada par l'entremise du Programme d'aide au
développement de l'industrie de l'édition (PADIÉ) pour nos activités d'édition.
Gouvernement du Québec - Programme de crédit d'impôt pour l'édition de livres - Gestion SODEC.

Catalogage avant publication de Bibliothèque et Archives Canada

Carpender, Dana

    200 recettes à faible teneur en glucides pour la mijoteuse : des repas sains qui sont prêts quand vous l'êtes
    Traduction de : 200 low-carb slow cooker recipes.
    Comprend un index.

    ISBN 2-89565-325-9

    1. Cuisson lente à l'électricité. 2. Régimes hypoglucidiques - Recettes. I. Titre. II. Titre : Deux cent recettes à
faible teneur en glucides pour la mijoteuse.

TX827.C3714 2005   641.5'884   C2005-940754-9

À ma sœur, Kim,
qui travaille sans relâche,
et qui adore sa mijoteuse.

TABLE DES MATIÈRES

INTRODUCTION L'exploration de la mijoteuse   7

INGRÉDIENTS Les ingrédients courants et moins courants   15

CHAPITRE UN Les grignotines et les hors-d'œuvre chauds   25

CHAPITRE DEUX Les œufs   49

CHAPITRE TROIS La volaille   53

CHAPITRE QUATRE Le bœuf   101

CHAPITRE CINQ Le porc   139

CHAPITRE SIX L'agneau   185

CHAPITRE SEPT Les poissons et les fruits de mer   193

CHAPITRE HUIT Les plats échappant à une classification systématique   203

CHAPITRE NEUF Les potages et les soupes   213

CHAPITRE DIX Les plats d'accompagnement   233

CHAPITRE ONZE Les desserts   255

CHAPITRE DOUZE Quelques extras...   275

INDEX 293

REMERCIEMENTS 307

Introduction
L'exploration
de la mijoteuse

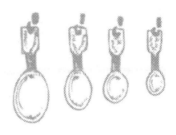

Je dois vous faire une confession : lorsque mon éditrice, Holly, m'a suggéré d'écrire un livre de recettes faibles en glucides pour la mijoteuse, j'ai quelque peu regimbé. Oh, je savais qu'un tel livre serait populaire, car beaucoup de lecteurs m'avaient écrit pour me demander d'en faire un. En fait, je n'étais pas très excitée à l'idée de passer deux ou trois mois à manger des plats mijotés. J'en avais préparé quelques-uns qui étaient assez bons mais, en général, ils étaient plutôt fades. Plusieurs d'entre eux semblaient imbibés d'eau, pâteux et insipides. De plus, un grand nombre des recettes disponibles pour la mijoteuse semblaient reposer sur des crèmes en conserve riches en glucides ; en effet, beaucoup de livres de recettes pour la mijoteuse semblent croire que « placer la nourriture dans le pot en grès, déposer ensuite la crème de champignons condensée et cuire lentement jusqu'à ce qu'on revienne du travail » constitue une recette. Dans ce livre, que ce soit au sens propre ou au sens figuré, ce n'est absolument pas le cas !

J'ai résisté pendant un bon moment, mais les courriers électroniques du type « S'il vous plaît, s'il vous plaît, écrivez-nous un livre pour la mijoteuse ! » s'accumulaient dans ma boîte de réception. Il me fallait donc écrire ce livre ! Cependant, il devenait évident que je devais parfaire ma technique à la mijoteuse.

Depuis longtemps, j'ai appris de ma mère, une bibliothécaire à la retraite que, si l'on souhaite apprendre quelque chose, on doit d'abord effecteur quelques recherches. Je me suis donc rendue sur Amazon.com et j'ai fait une revue des comptes rendus de livres de recettes pour la mijoteuse afin de dénicher ceux qui sortaient des sentiers battus. J'ai ensuite pris connaissance des livres qui avaient obtenu les meilleurs commentaires, glanant toute l'information pour parvenir à rendre ma cuisine à la mijoteuse aussi attrayante que possible, tant sur le plan du goût que sur celui de la texture. Sans grande surprise, ma technique à la mijoteuse a pris une fulgurante pente ascendante !

Au passage, j'ai aussi découvert quels étaient les aliments que les mijoteuses parvenaient à cuire avec excellence. De toute évidence, elles ne sont d'aucune utilité pour les aliments que vous aimez croustillants et dorés. Cependant, si vous recherchez une cuisson lente et une texture moelleuse, la mijoteuse donnera de meilleurs résultats que n'importe quel autre appareil. La préparation des potages, des ragoûts et des daubes est l'une des grandes forces de la mijoteuse ; de plus, j'ai également constaté que cette dernière est l'outil parfait pour faire cuire tout ce qui doit être préparé au bain-marie (les crèmes anglaises, en particulier). J'ai été ravie de découvrir que ma mijoteuse réussissait à la perfection le rôtissage des noix et des graines, et qu'elle convenait à la préparation de boissons chaudes pour les réceptions et de hors-d'œuvre qui devraient autrement être préparés dans un réchaud.

J'ai été très étonnée d'apprendre que ma mijoteuse réussissait bien le poisson ; cependant, ne le laissez pas cuire pendant des heures et des heures, car il serait trop cuit. Par ailleurs, environ une heure de la chaleur douce de la mijoteuse donne un poisson tendre et succulent. Tentez l'expérience lorsque vous n'aurez qu'une heure pour un repas, même si la plupart du temps vous utilisez votre mijoteuse pour préparer le souper pendant que vous êtes absente de la maison pour plusieurs heures.

J'ai aussi connu quelques échecs spectaculaires, notamment le chou de Bruxelles ! Il n'en demeure pas moins que, en règle générale, j'ai été très heureuse de découvrir qu'en utilisant quelques procédés simples je parvenais à obtenir de merveilleux plats à l'aide de la mijoteuse.

À propos des mijoteuses

Au moment où j'ai terminé ce projet de livre, je possédais trois mijoteuses. Chacune d'elles était une Crock-Pot. (Crock-Pot est une marque de commerce. Toutes les Crock-Pot sont des mijoteuses, mais toutes les mijoteuses ne sont pas des Crock-Pot !) Une Crock-Pot, le modèle original, est un peu la « Cadillac » des mijoteuses. Une de ses caractéristiques est que la chaleur se diffuse de partout à l'intérieur plutôt que de provenir seulement du fond. Si vous possédez une de ces mijoteuses dont l'élément chauffe uniquement le fond, vous devrez faire quelques tests avec mes recettes pour vérifier les temps de cuisson.

Le réglage à « faible intensité » (*Low*) sur une Crock-Pot est autour de 93 °C (200 °F) (juste au-dessus, en fait, et les aliments se mettront éventuellement à bouillir à ce réglage puisque le point d'ébullition est à 100 °C (212 °F) ; le réglage « forte intensité » (*High*) se situe autour de 150 °C (300 °F). Si vous possédez une marque de mijoteuse qui vous laisse sélectionner des températures précises, gardez ces indications à l'esprit. Si vous n'êtes pas sûre de ce que donnera le réglage des températures de votre mijoteuse, consultez le livret du fabricant pour trouver cette information. Une autre façon de procéder est de remplir la mijoteuse d'eau, de faire chauffer cette dernière pendant deux heures à faible intensité et de mesurer la température de l'eau à l'aide d'un thermomètre de cuisine. Par contre, cette méthode n'est pas pratique ! Pour ma part, j'utiliserais simplement les réglages « faible intensité » et « forte intensité » et je noterais les résultat obtenus pour certaines recettes.

Un avantage de la Crock-Pot originale est que le pot en grès se détache de la base, ce qui permet de le placer au réfrigérateur, voire au micro-ondes (si ce dernier est assez grand) et, plus important, de le nettoyer au lave-vaisselle. *Ne mettez pas* votre mijoteuse dans le lave-vaisselle si le pot ne peut pas être séparé de l'élément chauffant ! Aucun appareil électrique ne doit être immergé.

Mes mijoteuses sont toutes de tailles différentes. La plus petite contient 2,5 litres (10,5 tasses), la moyenne contient 3 litres (12,5 tasses), tandis que la grande contient 5 litres (21 tasses). Cette dernière peut contenir suffisamment de nourriture pour 8 personnes. C'est le choix tout indiqué si vous avez une grande famille ou que vous aimez cuisiner de façon à avoir des restes pour la semaine. La mijoteuse de 3 litres (12,5 tasses) est celle dont la taille est la plus courante. Elle devrait suffire amplement si votre famille compte 4 membres. Si votre mijoteuse a cette taille, pensez simplement à diviser par deux les recettes qui donnent de 6 à 8 portions. La mijoteuse de 2,5 litres (10,5 tasses) est idéale pour préparer des trempettes, des boissons et des hors-d'œuvre chauds, mais elle est un peu petite pour la cuisine familiale.

Un autre point : ma Crock-Pot de 5 litres pourra contenir aisément un plat de 1,5 litre (6 tasses) ou un moule à charnière de 20 cm (8 po), ce qui me procure de nouvelles options de cuisine. Si vous possédez une mijoteuse plus petite et que vous désirez faire des flans, des gâteaux au fromage ou d'autres recettes qui demandent l'insertion d'un plat ou d'un moule, vous devrez trouver ceux qui ont la bonne taille. Tout est plus facile avec une mijoteuse plus grande.

Gardez à l'esprit que les mijoteuses se présentent sous des formes rondes ou ovales. Si vous souhaitez introduire un plat de verre rond ou un moule à charnière dans votre mijoteuse, vous préférerez sans doute qu'elle ait une forme ronde. Malheureusement, ce type de mijoteuse prend beaucoup d'espace de rangement. C'est donc à vous de voir ce qui vous convient le mieux.

Ce que j'ai appris de la cuisine à la mijoteuse

- Le fait de faire sauter la viande ou la volaille avant de les placer dans la mijoteuse améliore de nombreuses recettes. Oui, cela prend du temps et salit un poêlon, mais la saveur et la texture que le rôtissage apporte valent mille fois les efforts déployés. Souvent, je vous demanderai également de faire sauter vos légumes.
- Il est important d'utiliser la quantité minimale de liquides recommandée pour une recette, particulièrement pour celles qui contiennent beaucoup de légumes. Le liquide qui s'écoule

des aliments pendant qu'ils mijotent s'accumulera dans le pot en grès parce que ce dernier ne permet aucune évaporation. Il est facile de se retrouver avec des aliments imbibés d'eau. Cette règle ne s'applique pas aux potages, bien sûr.

- À cause de cette accumulation de liquide, il est préférable d'utiliser des bouillons concentrés. Vous découvrirez que, dans beaucoup de recettes, j'utilise des quantités de bouillon ou de consommé concentrés qui semblent doubler la force du liquide, ou plus encore.

- Parfois, il est utile de transvider le liquide de la mijoteuse dans une casserole et de le faire réduire de moitié. Cette réduction de la moitié du volume revient à doubler la saveur du liquide.

- En général, il est préférable d'employer des coupes de viande maigres ; vous verrez que j'utilise souvent la volaille sans la peau. La graisse, qui crépite et devient succulente dans le four, rend les plats à la mijoteuse beaucoup trop riches. La mijoteuse est particulièrement attrayante pour cuire certaines coupes de viande plus maigres ou plus dures, des coupes que vous ne voudriez pas faire rôtir. Ainsi, la mijoteuse devient une excellente méthode de cuisson pour les personnes qui veulent surveiller leur apport en glucides. Elle peut même vous faire économiser de l'argent, les coupes de viande dures et pleines d'os étant moins coûteuses.

- Pour une raison étrange, les légumes cuisent plus lentement que la viande dans une mijoteuse. Si vous placez les légumes sur la viande, vous constaterez qu'ils seront toujours croquants lorsque la viande sera prête à servir. Déposez les ingrédients dans le pot en grès en respectant l'ordre indiqué dans les recettes.

- Puisque les légumes cuisent plus lentement, il est préférable de les tailler en petits morceaux. La plupart du temps, je vous indique comment couper les aliments. Si la recette précise que les navets doivent être coupés en cubes de 1 cm (1/2 po) et que vous faites des cubes de 4 cm (1 1/2 po), vous aurez des navets qui ne seront pas assez cuits.

- Ce n'est jamais une mauvaise idée de vaporiser d'un enduit antiadhésif votre mijoteuse avant d'y déposer vos aliments. Je ne le fais pas dans toutes les recettes, mais je le mentionne chaque fois qu'une telle opération peut s'avérer avantageuse. Cependant, je n'arrive pas à imaginer une situation où cela poserait problème.

Certains éléments que d'autres livres pour la mijoteuse semblent considérer très importants mais qui, à mes yeux, sont superflus

- Plusieurs livres de recettes nous suggèrent d'utiliser seulement des épices entières, comme des grains de poivre entiers ou de la mignonnette de poivre, des clous de girofle entiers, des herbes aromatiques entières, etc. J'utilise ce que j'ai sous la main et j'obtiens de savoureux plats.
- Quelques livres estiment que vous ne devriez pas assaisonner vos plats à la mijoteuse avant la fin de la cuisson. Je suggère souvent que vous ajoutiez sel et poivre au goût à la fin de la cuisson mais, si vous procédez autrement, les assaisonnements iront dans le pot en grès avec les aliments. Je n'ai eu aucun problème en procédant de l'une ou l'autre de ces manières.
- Certains livres accordent une très grande importance à la taille de la mijoteuse. Il est vrai que la taille a une certaine importance : par exemple, vous ne pouvez pas mettre 4 litres de potage dans une mijoteuse de 3 litres ; et si vous préparez seulement une petite quantité de trempette, vous ne devriez probablement pas utiliser le pot en grès de 5 litres. Quelques livres de cuisine conseillent fortement de remplir la mijoteuse au moins à la moitié de sa capacité, sous peine de catastrophe ! Or, j'ai souvent utilisé ma grande mijoteuse en oubliant ce principe et j'ai toujours obtenu de succulents plats.

À propos des temps de cuisson

La grande popularité des mijoteuses tient à ce que j'appelle le « bond temporel », c'est-à-dire qu'elles offrent la possibilité de faire cuire un repas à un autre moment que celui qui le précède immédiatement. Ainsi, vous pouvez vous mettre à table aussitôt que vous rentrez du travail. Pour cette raison, beaucoup de livres pour la mijoteuse conseillent de faire cuire la plupart des plats pendant 8 heures ou plus ; ils supposent que vous serez sortie aussi longtemps !

Malheureusement, si l'on se fie à ces temps de cuisson, beaucoup de plats se retrouvent sous la forme d'un horrible bouillie ou sont définitivement trop cuits. J'ai tenté de donner les temps de cuisson qui, à mon sens, donnent les meilleurs résultats possible ; cependant, il se pourrait qu'ils ne concordent pas avec votre horaire de travail. Les temps indiqués peuvent généralement être prolongés d'une heure sans problème, mais les prolonger de deux ou trois heures vous donnera des résultats très différents de ceux que j'ai obtenus.

Une meilleure méthode consiste à faire votre préparation la soirée précédente — préparant le souper après le souper, pour ainsi dire. Après avoir préparé votre repas du lendemain, enlevez le pot en grès de sa base et placez-le au réfrigérateur pour la nuit. Le matin suivant, sortez-le et replacez-le sur sa base, puis mettez la mijoteuse en marche juste avant de quitter la maison. Si vous utilisez des aliments refroidis, ajoutez 1 à 2 heures au temps de cuisson. Cependant, ne réchauffez pas la base avant d'y placer le pot refroidi, car vous pourriez faire éclater ce dernier !

Si vous devez prolonger votre temps de cuisson davantage, envisagez l'achat d'un minuteur. Vos aliments pourront attendre 2 heures sans problème avant que le minuteur n'allume la mijoteuse ou 3 heures si les aliments sortent directement du réfrigérateur quand le pot en grès est mis sur sa base. Il vaut mieux retarder le moment du départ de la cuisson que d'arrêter la cuisson avant votre retour du travail puisque la chaleur accumulée continuera à cuire les aliments. Demandez à votre quincaillier un minuteur dans lequel vous pourrez brancher des appareils électriques. Si vous magasinez actuellement votre mijoteuse, sachez qu'il existe des modèles avec une minuterie intégrée.

Par ailleurs, si vous souhaitez accélérer le temps de cuisson, vous pourrez réchauffer le contenu de votre mijoteuse avant de placer le pot en grès sur sa base. Les pots de deux de mes trois mijoteuses sont conçus pour aller au micro-ondes. J'ai occasionnellement placé le pot au micro-ondes, à puissance moyenne, jusqu'à ce que le contenu soit chaud avant de le remettre sur sa base pour continuer la cuisson. Cette façon de procéder permet de retrancher une bonne heure au temps de cuisson.

Vous pouvez évidemment utiliser le réglage « forte intensité» lorsque le réglage recommandé est « faible intensité » ; le temps de cuisson sera *grosso modo* coupé en deux. Cependant, je trouve que la plupart des recettes donnent de meilleurs résultats avec le réglage « faible intensité ». Si vous avez le temps de l'utiliser chaque fois qu'il est recommandé, je vous suggère de le faire.

Si en début de journée vous demeurez à la maison un certain temps avant de partir, cuisinez à « forte intensité » pendant environ une heure, puis réglez la mijoteuse à « faible intensité » avant votre départ. N'oubliez pas que chaque heure à haute intensité vaut 2 heures à faible intensité.

Selon votre recette, la taille de votre mijoteuse affectera quelque peu le temps de cuisson. Si vous avez une mijoteuse de 5 litres (21 tasses) et que les aliments la remplissent seulement au quart, vous pourrez probablement soustraire une heure au temps de cuisson. Au contraire, si les aliments emplissent votre mijoteuse jusqu'à 2 cm (1 po) du rebord, vous devrez ajouter une heure.

Les ingrédients
courants et moins courants

Voici, en ordre alphabétique, quelques ingrédients qui demandent une petite explication :

- **Ail** — Je n'utilise que de l'ail frais, sauf pour les recettes qui demandent de saupoudrer un mélange de cet assaisonnement. Le goût de l'ail frais est sans égal. À mes papilles, même l'ail haché conservé dans l'huile n'a pas la riche saveur de l'ail frais. Et je ne parle pas de la poudre d'ail ! Si vous souhaitez utiliser de l'ail en pot, comptez 1/2 c. à thé d'ail pour une gousse fraîche. Si vous préférez l'ail en poudre, c'est votre choix, mais je ne peux rien vous promettre quant à la saveur de vos plats. Comptez 1 g (1/4 c. à thé) de poudre d'ail pour une gousse d'ail frais.
- **Bière** — Une ou deux recettes dans ce livre utilisent de la bière. La plus faible en glucides sur le marché est la Michelob Ultra. Par contre, je ne l'aime pas tellement, mais elle peut convenir pour faire la cuisine. La Miller Lite et la Milwaukee's Best Light sont meilleures et ne contiennent qu'environ 0,5 gramme de glucides de plus par cannette.
- **Bouillons** — Il est toujours pratique d'avoir du bouillon de bœuf et de poulet, en boîte ou en cubes, sous la main. Le bouillon préparé permet de gagner beaucoup de temps à

l'heure des repas puisque le bouillon maison est plutôt long à faire. Toutefois, la qualité du bouillon en conserve vendu dans les supermarchés laisse beaucoup à désirer. Le bouillon de poulet contient souvent plusieurs additifs alimentaires et du sucre. Le bouillon de bœuf est pire encore ; il arrive même qu'il ne contienne pas de bœuf. Je refuse de consommer ces produits et vous devriez faire de même.

Cela dit, certains bouillons en boîte ou en cubes méritent d'être achetés. Je pense, entre autres, à ceux de la marque Kitchen Basics qui ne contiennent pas d'additifs chimiques et qui sont maintenant disponibles dans certains supermarchés. Ils sont vendus dans des contenants en carton comme ceux utilisés pour les jus ou le lait de soja. Kitchen Basics offre les bouillons de poulet et de bœuf. Les magasins d'aliments naturels ou de santé vendent aussi des bouillons de très bonne qualité. Ceux de la marque Shelton et Health Valley sont faciles à se procurer en Amérique du Nord.

Un bon bouillon en cubes ne coûte pas beaucoup plus cher que les préparations à base de sel et de produits chimiques. En surveillant les rabais, vous pourriez même vous le procurer à plus faible coût que le bouillon de mauvaise qualité vendu en supermarché. (Lorsque mon magasin d'aliments naturels vend le bouillon en solde, j'en profite pour faire des provisions !)

UNE DERNIÈRE NOTE : Vous trouverez aussi du bouillon végétal en conserve, principalement dans les boutiques d'aliments naturels. C'est un produit savoureux mais, puisqu'il contient davantage de glucides que les bouillons de bœuf et de poulet, je l'évite.

- **Breuvages au lait faibles en glucides** — Ces breuvages au lait à teneur réduite en glucides, que l'on retrouve en versions standard, 2 % et écrémée, pour ne pas mentionner la délicieuse variété au chocolat, sont le complément idéal à la cuisine faible en glucides. À mon avis, ils possèdent un goût semblable à celui du lait et je les ai utilisés assez librement dans ces recettes.

Il existe une marque, Carb Countdown, que vous devriez trouver près de chez vous. Sinon, essayez de lui substituer un mélange moitié-moitié ou à parts égales de crème et d'eau. À cet égard, si vous suivez le régime South Beach, le lait allégé en matières grasses est permis. N'hésitez pas à l'utiliser au lieu du Carb Countdown partout où je l'ai précisé.

- **Chou-fleur** — Vous remarquerez une certaine « dépendance » au chou-fleur dans ce livre, que ce soit sous la forme de « fauxtates » (page 291) ou de « fleur-riz » (voir également page 290) ; beaucoup de recettes pour la mijoteuse donnent de merveilleuses sauces et ce serait une honte de ne pas en napper certains accompagnements. (En effet, les recettes traditionnelles pour la mijoteuse montrent une « dépendance » semblable aux pommes de terre, au riz et aux nouilles.)

  Si vous préférez, vous pouvez oublier le chou-fleur ou lui substituer des pâtes à faible teneur en glucides de temps à autre, quoique je n'aie pas encore trouvé une marque commerciale que j'aime vraiment.

  EN PASSANT : Si le chou-fleur (ou autre garniture ou accompagnement possible) n'est pas mentionné dans la liste des ingrédients, c'est qu'il s'agit d'une suggestion et, de ce fait, il n'est pas inclus dans l'analyse nutritionnelle du plat. Si un élément apparaît dans la liste des ingrédients, il sera inclus dans l'analyse.

- **Concentrés de bouillon** — Les concentrés de bouillon se vendent en cubes, en cristaux, en pâte ou sous forme liquide. Ils contiennent généralement beaucoup de sel et de produits chimiques et leur goût ne ressemble pas vraiment à celui de la viande de l'animal dont ils sont supposément faits. Pour tout dire, ces produits ne constituent pas de bons substituts au bouillon maison lorsque vous décidez de faire une soupe. Toutefois, ils peuvent être utilisés comme assaisonnements pour rehausser la saveur de certains plats ; c'est pourquoi j'en garde toujours à la maison. J'utilise maintenant les bouillons concentrés en pâte de marque *Better Than Bouillon* ; on les trouve à saveur de bœuf et de poulet. Je préfère la pâte aux granules ou aux cubes.

- **Confitures faibles en glucides** — Selon moi, la confiture d'abricots faible en glucides est un ingrédient merveilleux. J'ai un faible pour la marque Smucker's. Les confitures de cette maison ont une teneur en glucides beaucoup moins élevée que les confitures « tous fruits », qui sont malheureusement sucrées au jus de fruits concentré. Il faut se rappeler que le sucre contenu dans le jus de fruits demeure du sucre ! Je suis aussi connue pour utiliser la marmelade d'oranges et la confiture de framboises faibles en sucre.

- **Gomme de xanthane et gomme de guar** — Ces deux produits ont un nom qui ne laisse présager rien de vraiment appétissant ; pourtant, ils sont présents dans plusieurs mets préparés vendus dans nos supermarchés. Que sont-ils au juste ? Il s'agit de fibres solubles qui ont été extraites et purifiées, et qui ont l'aspect d'une poudre blanche sans saveur. Elles sont utilisées comme épaississants dans la cuisine à faible teneur en glucides. En théorie, il s'agit de glucides mais, comme elles sont uniquement constituées de fibres, vous n'avez rien à craindre.

  Ceux d'entre vous qui ont lu *500 recettes à faible teneur en glucides* savent que j'y recommandais de mettre le guar ou le xanthane dans le mélangeur avec la totalité ou une partie du liquide de la recette, et ce, afin d'éviter la formation de grumeaux. Vous pouvez maintenant oublier cette technique. Au lieu de cela, procurez-vous une saupoudreuse, que vous remplirez de guar ou de xanthane et que vous garderez à portée de la main. Quand vous voudrez épaissir le liquide de la mijoteuse, saupoudrez simplement un peu d'épaississant sur la surface *de la préparation tout en brassant,* avec un fouet de préférence. Arrêtez-vous quand votre sauce, votre potage ou votre jus seront un peu moins épais que vous ne le désirez. Ils épaissiront encore un peu plus avec le temps.

Si vous ne trouvez pas de gomme de guar ou de xanthane (personnellement, j'ai une petite préférence pour le xanthane) à votre magasin d'aliments naturels, demandez à ce que l'on en commande pour vous. Vous pouvez également vous en procurer par Internet. Des deux produits, je préfère légèrement le xanthane.

- **Ketatoes** — Ketatoes est une version à faible teneur en glucides de la purée de pommes de terre instantanée. Ce produit contient une certaine quantité de pommes de terre déshydratées et est dilué avec une bonne quantité de fibres. Vous mélangez simplement la poudre à une quantité égale d'eau.

  À mon avis, si l'on prépare les Ketatoes selon les indications que l'on trouve sur l'emballage, le résultat est peu attrayant. L'odeur de la préparation est agréable, mais la texture est horrible. Par contre, utilisés en petite quantité, les Ketatoes permettent de donner une saveur de pommes de terre tout à fait convaincante à une multitude de plats, ce que j'ai fait dans un certain nombre de recettes de ce livre. Même si les Ketatoes sont offerts dans une variété de saveurs, toutes mes recettes utilisent le mélange à saveur classique, celle des bonnes vieilles pommes de terre.

  Si vous ne pouvez trouver de Ketatoes dans votre localité, il y a environ un milliard de marchands en ligne qui seront heureux de vous expédier ce produit.

- **Mélasse noire** — Que diable fait la mélasse dans une liste d'aliments à faible teneur en glucides ? Ce produit n'est-il pas composé essentiellement de glucides ? Bien entendu, mais on peut obtenir un excellent substitut du sucre brun en ajoutant un peu de mélasse à du Splenda. Choisissez toujours une mélasse très foncée ; plus la mélasse est foncée, plus son goût est prononcé et plus sa teneur en glucides est faible. C'est pourquoi je recommande la mélasse noire. Cette dernière contient les minéraux qui sont laissés derrière durant la production du sucre. La mélasse regorge peut-être de glucides, mais ce n'est pas un aliment vide. Malgré tout, je l'utilise toujours avec parcimonie.

La plupart des magasins d'aliments naturels gardent la mélasse noire en inventaire mais, si vous ne pouvez en obtenir, achetez la mélasse la plus foncée que vous pourrez trouver. La plupart des marques commerciales offrent des variétés à la fois légères et foncées.

Pourquoi ne pas avoir parlé des édulcorants aromatisés au sucre brun ? Parce que je les ai essayés et que je n'en ai pas apprécié le goût. Affreux !

- **Pâte de piments et d'ail** — Il s'agit d'un condiment asiatique traditionnel et, comme son nom l'indique, il est surtout constitué de piments forts et d'ail. Si, comme moi, vous raffolez des piments, vous trouverez une multitude d'usages à cette pâte une fois que vous l'aurez en main. La pâte de piments et d'ail se présente en pot et se garde pendant des mois au réfrigérateur. Il faut la chercher dans les magasins de spécialités asiatiques ou dans le rayon des produits internationaux des supermarchés.

- **Piments chipotles en conserve** — Les chipotles sont des piments jalapeños fumés. Ils sont très différents des jalapeños ordinaires et sont tout à fait délicieux. Ils se présentent en conserve dans la sauce adobo ; vous les trouverez dans le rayon des produits mexicains des grandes épiceries. Puisque vous n'allez probablement pas utiliser immédiatement tout le contenu d'un pot, vous serez heureux d'apprendre que vous pouvez conserver vos chipotles pendant des mois dans le congélateur. Afin d'être en mesure de retirer un ou deux piments du pot, je place ce dernier sous l'eau chaude pendant environ 5 minutes pour le dégeler quelque peu, puis je le remets au congélateur.

- **Racines de gingembre** — Beaucoup des recettes de ce livre utilisent du gingembre frais, appelé parfois racine de gingembre. Le gingembre séché, en poudre, n'est pas un substitut convenable. Heureusement, le gingembre frais se congèle facilement. Glissez la racine entière dans un sac en plastique hermétique, et placez-la dans le congélateur. Quand le temps sera venu de l'utiliser, sortez-la, coupez-en un morceau suffisant pour vos besoins immédiats et râpez-le. Le gingembre se râpe facilement lorsqu'il est gelé. Placez le reste de la racine dans le sac et remettez-le au congélateur.

Il existe du gingembre frais râpé, conservé dans l'huile et en pot, que l'on peut trouver dans certaines épiceries. Lorsque je peux en trouver sans sucre ajouté, il m'arrive d'en acheter ; autrement je râpe mon propre gingembre.

- **Sauce au poisson** (*nuoc mam* ou *nam pla*) — Voici un assaisonnement salé et fermenté largement utilisé dans la cuisine du Sud-Est asiatique. Cette sauce est disponible dans les épiceries asiatiques et dans la section des produits de spécialité des supermarchés. Elle entre dans la composition de quelques recettes (tout à fait exquises) de ce livre, auxquelles elle confère une touche authentique. À la rigueur, vous pouvez lui substituer de la sauce soja, mais vous perdrez du coup un peu de l'accent du Sud-Est asiatique. Vous pouvez faire des provisions de cette sauce, car elle se conserve bien sans réfrigération.

- **Sel aux herbes** — Si vous lisez ma lettre d'information, *Lowcarbezine!*, ou que vous avez lu des livres de cuisine que j'ai déjà publiés, vous savez que je suis une grande amatrice de sel aux herbes. C'est un sel auquel on a ajouté des assaisonnements, plus précisément des légumes séchés en poudre. Ce produit est beaucoup plus doux que le sel aux épices. Sa saveur est subtile, mais elle rehausse le goût de nombreux plats et aliments. La plupart du temps, vous aurez le choix entre le sel ordinaire ou le sel aux herbes. Ne vous en faites surtout pas, car le sel ordinaire fera tout aussi bien l'affaire. Cependant, le sel aux herbes ajoutera un petit extra à la saveur de vos plats. Ce produit est vendu dans la plupart des magasins d'aliments de santé et dans certains supermarchés.

- **Sirop sans sucre** — Il est maintenant facile de trouver ce produit. Toutes les épiceries de ma localité en vendent et plusieurs tiennent plus d'une marque. Vous pouvez vous en procurer dans la plupart des supermarchés, généralement dans la section des sirops, mais parfois aussi dans celle des produits contre le diabète. Élaboré à partir de polyols, il a la même texture et le même goût que le sirop à crêpes standard. En petite quantité, il permet de donner à quelques recettes une saveur d'érable.

- **Soja noir** — La plupart des haricots et autres légumineuses sont trop riches en glucides pour les régimes à faible teneur en glucides, mais il y a une exception. Le soja noir possède la plus faible quantité de glucides assimilables, environ 1 gramme par portion, car la plupart de ses glucides sont des fibres. Plusieurs recettes dans ce livre recommandent des fèves de soja noir en conserve de marque Eden. Bon nombre de magasins d'aliments santé les gardent en inventaire. Si le vôtre ne les tient pas, demandez qu'on en commande pour vous ; ces boutiques ont souvent un service de commandes spéciales vraiment efficace.

  Je ne vous recommanderais pas de consommer des plats à base de soja plusieurs fois par semaine. Je sais que le soja a la réputation d'être l'« aliment santé miraculeux par excellence », mais il y a des raisons de se montrer prudent. Depuis des décennies maintenant, on sait que le soja est mauvais pour la thyroïde et, si vous essayez de perdre du poids et d'améliorer votre santé, la dernière chose dont vous avez besoin est une thyroïde lente. Une étude faite à Hawaii en 2000 est des plus alarmantes : elle a montré une corrélation entre la quantité de tofu mangé par des sujets d'âge moyen et le taux et la sévérité de problèmes cognitifs que ces personnes ont connu durant la vieillesse. Puisque les scientifiques soupçonnent que le problème se trouve dans les œstrogènes de soja (dont les mérites ont été si grandement vantés), n'importe quel produit au soja non fermenté, y compris les fèves de soja en conserve, est suspect.

Cela ne signifie pas que nous devions éviter complètement les fèves de soja et les produits de soja, mais nous devons les aborder prudemment et les manger avec modération. Puisque beaucoup de produits de spécialité faibles en glucides sont riches en soja, vous devrez aussi y faire attention. Personnellement, j'essaie de limiter ma consommation de soja à une portion par semaine ou moins.

- **Splenda** — Soyez conscient que le Splenda en granules que l'on trouve en vrac, dans une boîte ou dans le nouveau « sac du boulanger » est différent de celui qui est contenu dans les sachets. Ce dernier est considérablement plus sucré au goût. Un sachet équivaut à 1 g (2 c. à thé) de Splenda en granules. Toutes mes recettes utilisent le Splenda en granules.

- **Substitut de miel sans sucre** — Il s'agit en fait d'un sirop de polyols auquel on a ajouté la saveur de miel. Les deux marques que j'ai essayées, HoneyTree et Steele, ne sont pas de mauvaises imitations.

  Les substituts de miel sans sucre deviennent plus faciles à trouver. C'est un produit utile. Certains lecteurs me disent que Wal-Mart offre maintenant ce produit. Les marchands en ligne offrent habituellement la marque Steele. Alors, vous ne devriez pas avoir trop de difficulté à vous le procurer.

- **Tortillas à faible teneur en glucides** — Elles deviennent de plus en plus faciles à trouver. Cependant, si aucun magasin n'en offre dans votre localité, commandez-en par Internet. Les tortillas se conservent 3 ou 4 semaines dans un sac hermétique sans moisir ni s'éventer. Vous pouvez donc en commander plus d'un paquet à la fois.

  J'utilise les tortillas de la marque La Tortilla Factory parce qu'elles ont la teneur en glucides assimilables la plus basse que j'ai trouvée, seulement 3 grammes. Elles contiennent surtout des fibres ! Prenez garde : j'ai récemment vu des paquets de tortillas faibles en glucides dont la valeur nutritive par portion était trompeuse. Les données indiquées équivalaient à une demi-tortilla ; ce n'est pas ce que j'appelle une portion !

CHAPITRE UN

Les grignotines et les hors-d'œuvre chauds

Les mijoteuses sont surtout utilisées pour préparer un repas alors que vous êtes à l'extérieur de la maison, mais elles ont d'autres utilités, par exemple garder les trempettes et les hors-d'œuvre chauds pendant une fête ! De plus, ces appareils réussissent le rôtissage des noix à merveille. Voici quelques recettes qui feront de votre mijoteuse la vedette de la fête.

Ailes de poulet glacées

Déposez un plat de ces ailes sur la table et une pile de serviettes en papier, et regardez les invités se régaler !

> 1,5 kg (environ 3 lb) d'ailes de poulet
> 170 g (1/2 tasse) de substitut de miel (sans sucre)
> 12 g (1/2 tasse) de Splenda
> 120 ml (1/2 tasse) de sauce soja
> 30 ml (2 c. à table) d'huile
> 2 gousses d'ail
> 15 ml (2 c. à table) de ketchup sans sucre de Dana (page 276) ou de ketchup faible en glucides du commerce

Coupez les ailes de poulet en baguettes. Assaisonnez-les avec du sel et du poivre, puis déposez-les dans la mijoteuse.

Dans un bol, mélangez le miel, le Splenda, la sauce soja, l'huile, l'ail et le ketchup. Versez le mélange sur les ailes et remuez-les pour bien les enduire. Couvrez la mijoteuse. Laissez cuire de 6 à 8 heures à faible intensité.

Infos : 8 portions, chacune contenant 144 calories, 10 g de lipides, 10 g de protéines, 2 g de glucides, des traces de fibres alimentaires et 2 g de glucides assimilables. (L'analyse nutritionnelle ne tient pas compte des polyols contenus dans le substitut de miel.)

Boulettes de viande barbecue aux canneberges

Cette vieille dinde hachée barbante joue la Cendrillon et revient à la fête dans de nouveaux habits !

> 1 kg (2,2 lb) de dinde hachée
> 2 œufs
> 4 échalotes vertes hachées
> 30 ml (2 c. à table) de sauce soja
> 1,25 ml (1/4 c. à thé) d'extrait d'orange
> 1 g (1/2 c. à thé) de poivre
> 0,5 g (1 c. à thé) de Splenda
> 60 ml (1/4 tasse) d'huile
> 240 ml (1 tasse) de sauce barbecue faible en glucides (page 279) ou une sauce commerciale)
> 225 g (1 tasse) de canneberges (celles-ci sont saisonnières, mais elles se congèlent bien)
> 6 g (1/4 tasse) de Splenda

Dans un grand bol, mélangez la dinde, les œufs et les échalotes.

Dans un autre bol, mélangez la sauce soja, l'extrait d'orange, le poivre et 0,5 g (1 c. à thé) de Splenda, puis versez dans le bol contenant la dinde. À l'aide de vos mains, que vous aurez pris soin de laver, remuez le tout jusqu'à ce que les ingrédients soient bien mélangés. Façonnez des boulettes de viande de 2,5 cm (1 po) de diamètre.

Dans un grand poêlon épais, chauffez la moitié de l'huile à intensité moyenne. Faites brunir quelques boulettes de viande à la fois ; ajoutez le reste de l'huile lorsque nécessaire. Déposez les boulettes de viande dorées dans votre mijoteuse.

Dans un mélangeur ou un robot culinaire muni d'une lame en « S », mettez la sauce barbecue, les canneberges et 6 g (1/4 tasse) de Splenda. Faites fonctionner l'appareil jusqu'à ce que les baies forment une purée. Versez ce mélange sur les boulettes de viande. Couvrez la mijoteuse. Laissez cuire de 5 à 6 heures à faible intensité. Servez les boulettes chaudes après y avoir piqué un cure-dent !

Infos : 48 boulettes de viande, chacune contenant 44 calories, 3 g de lipides, 4 g de protéines, 1 g de glucides, des traces de fibres alimentaires et 1 g de glucides assimilables.

Boulettes de viande au colombo avec sauce jerk

Le colombo est la version antillaise du cari ; le jerk est la fameuse sauce barbecue piquante de la Jamaïque. Vous pouvez contrôler le goût piquant de cette recette en choisissant votre sauce avec soin. Utilisez de la sauce Tabasco ou de la sauce piquante de la Louisiane et votre plat sera épicé. Utilisez la sauce jamaïcaine Scotch Bonnet ou la sauce *habanero* et votre tête voudra exploser !

455 g (1 lb) d'agneau haché
1 œuf
25 g (1/4 tasse) d'oignon haché
0,5 g (1/4 c. à thé) de coriandre moulue
1,25 ml (1/4 c. à thé) de curcuma moulu
0,75 ml (1/8 c. à thé) de graines d'anis moulu
1 gousse d'ail hachée
0,75 g (1/4 c. à thé) de moutarde sèche
10 ml (2 c. à thé) de jus de citron
0,25 g (1/2 c. à thé) de Splenda
2,5 g (1/2 c. à thé) de sel
30 ml (2 c. à table) d'huile d'olive
1 feuille de laurier
25 g (1/4 tasse) d'oignon haché
5 ml (1 c. à thé) de piment de la Jamaïque moulu
8 g (1 c. à table) de gingembre râpé
15 ml (1 c. à table) de sauce soja
0,25 g (1/4 c. à thé) de thym séché
1,25 ml (1/4 c. à thé) de cannelle moulue
1,5 g (1 c. à table) de Splenda
2 gousses d'ail broyées
60 ml (1/4 tasse) de ketchup faible en glucides
15 ml (1 c. à table) de jus de citron
15 ml (1 c. à table) de jus de lime
7,5 ml (1 1/2 c. à thé) de sauce piquante

Dans une grand bol, incorporez l'agneau, l'œuf, 25 g (1/4 tasse) d'oignon haché, la coriandre, le curcuma, les graines d'anis, l'ail haché, la moutarde sèche, 10 ml (2 c. à thé) de jus de citron, 0,25 g (1/2 c. à thé) de Splenda et le sel. À l'aide de vos mains, que vous aurez pris soin de laver, brassez le tout jusqu'à l'obtention d'un mélange homogène. En pressant fermement la viande, façonnez des boulettes de 1 po (2,5 cm) de diamètre.

Dans un grand poêlon épais, chauffez l'huile à intensité moyenne et brunir les boulettes de viande en deux lots. Déposez la feuille de laurier dans le fond de la mijoteuse ; mettez-y ensuite les boulettes de viande.

Mélangez les seconds 25 g (1/4 tasse) d'oignon haché, le piment de la Jamaïque, le gingembre, la sauce soja, le thym, la cannelle, 1,5 g (1 c. à table) de Splenda, l'ail pressé, le ketchup, 15 ml (1 c. à table) de jus de citron, le jus de lime et la sauce piquante. Répartissez cette sauce sur les boulettes de viande. Couvrez la mijoteuse. Laissez cuire 3 heures à faible intensité. Servez chaud.

Infos : 35 portions, chacune contenant 48 calories, 4 g de lipides, 2 g de protéines, 1 g de glucides, des traces de fibres alimentaires et 1 g de glucides assimilables.

Crevettes des jours de fête

Vos invités vont dévorer ces délices de la mer ! Si vous ne trouvez pas le fumet de crabe dans le rayon des épices de votre marché d'alimentation, demandez à un poissonnier de vous renseigner : il devrait savoir où le trouver.

> 1 enveloppe de 85 g (3 oz) de fumet de crabe
> 360 ml (12 oz) de bière légère
> 15 g (1 c. à table) de sel ou de Vege-Sal
> 2 kg (4 1/2 lb) de crevettes faciles à décortiquer ou de crevettes surgelées, non dégelées

Videz le contenu du sachet de fumet de crabe dans la mijoteuse et ajoutez-y la bière. Incorporez le sel ou le Vege-Sal et remuez. Déposez les crevettes. Incorporez juste assez d'eau pour que le liquide couvre les crevettes. Couvrez la mijoteuse. Laissez cuire de 1 à 2 heures à forte intensité ou jusqu'à ce que les crevettes soient parfaitement roses. Réglez ensuite votre mijoteuse à faible intensité.

Servez les crevettes directement à partir de la mijoteuse avec une sauce cocktail faible en glucides, du beurre au citron, ou un mélange de mayonnaise et de moutarde pour faire une trempette. Ou alors, offrez les trois ! Si vous servez les crevettes comme hors-d'œuvre ou amuse-gueule, cette recette vous permettra de recevoir entre 15 et 20 invités.

Infos : 20 portions, chacune contenant 101 calories, 2 g de lipides, 18 g de protéines, 1 g de glucides, 0 g de fibres alimentaires et 1 g de glucides assimilables. (L'analyse nutritionnelle ne tient pas compte de la trempette.)

Saucisses joyeuses

Voici une méthode rapide de donner des ailes aux petites saucisses cocktail.

> 60 ml (1/4 tasse) de ketchup sans sucre de Dana (page 276)
> ou de ketchup faible en glucides du commerce
> 6 g (1/4 tasse) de Splenda
> 2,5 ml (1/2 c. à thé) de mélasse noire
> 5 ml (1 c. à thé) de sauce Worcestershire
> 60 ml (1/4 tasse) de bourbon
> 225 g (1/2 livre) de saucisses cocktail

Dans un grand bol, mélangez le ketchup, le Splenda, la mélasse, la sauce Worcestershire et le bourbon.

Mettez les saucisses dans la mijoteuse et nappez-les de sauce. Couvrez la mijoteuse. Laissez cuire 2 heures à faible intensité. Retirez alors le couvercle et laissez cuire 1 heure de plus. Piquez les saucisses d'un cure-dent et servez.

NOTE : Si vous ne pouvez trouver de saucisses cocktail, coupez des saucisses à hot-dog régulières en gros morceaux. Vos saucisses ne seront pas aussi mignonnes, mais elles auront le même goût !

Infos : 6 portions, chacune contenant 158 calories, 11 g de lipides, 5 g de protéines, 4 g de glucides, des traces de fibres alimentaires et 4 g de glucides assimilables.

Saucisses de Francfort au raifort

Mon mari les a adorées !

455 g (1 lb) de petites saucisses fumées en chapelet
60 ml (1/4 tasse) de ketchup sans sucre de Dana (page 276)
  ou de ketchup faible en glucides du commerce
8 g (1/3 tasse) de Splenda
30 g (2 c. à table) de raifort préparé
1,25 ml (1/4 c. à thé) de mélasse noire

Mettez les saucisses dans la mijoteuse.

Dans un bol, mélangez le ketchup, le Splenda, le raifort et la mélasse. Versez cette sauce sur les saucisses. Remuez afin de bien enduire les saucisses. Couvrez la mijoteuse. Laissez cuire 3 heures à faible intensité. Piquez les saucisses chaudes d'un cure-dent et servez.

Infos : 8 portions, chacune contenant 193 calories, 17 g de lipides, 8 g de protéines, 1 g de glucides, des traces de fibres alimentaires et 1 g de glucides assimilables.

Saucisses de Francfort à l'orange

C'est le Super Bowl ! Préparez ces saucisses et servez-les à vos invités. Ils se délecteront !

> 455 g (1 lb) de petites saucisses fumées en chapelet
> 60 ml (1/4 tasse) de ketchup sans sucre de Dana (page 276)
>   ou de ketchup faible en glucides du commerce
> 60 ml (1/4 tasse) de jus de citron
> 3 g (2 c. à table) de Splenda
> 1,25 ml (1/4 c. à thé) d'extrait d'orange
> 1,25 ml (1/4 c. à thé) de xanthane ou de guar (facultatif)

Mettez les saucisses dans la mijoteuse.

Dans un petit bol, mélangez le ketchup, le jus de citron, le Splenda et l'extrait d'orange. Si vous pensez que la préparation en a besoin, épaississez-la à l'aide d'un peu de guar ou de xanthane. Versez la sauce sur les saucisses. Couvrez la mijoteuse. Laissez cuire 3 heures à faible intensité. Piquez les saucisses chaudes d'un cure-dent et servez.

Infos : 8 portions, chacune contenant 193 calories, 17 g de lipides, 8 g de protéines, 1 g de glucides, des traces de fibres alimentaires et 1 g de glucides assimilables.

Trempette au fromage et au bacon

Bacon et fromage ! Que vous devez être heureux d'avoir adopté un régime faible en glucides !

455 g (1 lb) de fromage Neufchâtel ramolli ou de fromage à la crème léger ou régulier
225 g (2 tasses) de cheddar râpé
230 g (2 tasses) de fromage monterey Jack râpé
120 ml (1/2 tasse) de breuvage au lait Carb Countdown
120 ml (1/2 tasse) de crème fraîche 35 % M.G.
30 g (2 c. à table) de moutarde de Dijon
10 g (1 c. à table) d'oignon haché
10 ml (2 c. à thé) de sauce Worcestershire
2,5 g (1/2 c. à thé) de sel ou de Vege-Sal
0,5 g (1/4 c. à thé) de poivre de Cayenne
455 g (1 lb) de bacon cuit, égoutté et émietté

Coupez le fromage Neufchâtel ou le fromage à la crème en cubes et déposez ces derniers dans la mijoteuse. Ajoutez le cheddar, le monterey Jack, le breuvage au lait, la crème, la moutarde, l'oignon, la sauce Worcestershire et le sel ou le Vege-Sal. Remuez pour bien répartir les ingrédients. Couvrez la mijoteuse. Laissez cuire 1 heure à faible intensité. Brassez de temps à autre.

Une fois que le fromage a fondu, incorporez le bacon.

NOTE : Servez avec des légumes coupés en bâtonnets, des craquelins ou d'autres grignotines faibles en glucides.

Infos : 12 portions, chacune contenant 505 calories, 44 g de lipides, 25 g de protéines, 2 g de glucides, des traces de fibres alimentaires et 2 g de glucides assimilables.

Bagna Cauda

Le nom de cette trempette italienne traditionnelle signifie « bain chaud » et c'est précisément ce dont il s'agit : un bain d'huile d'olive chaude parfumée pour tremper vos légumes. Croyez-le ou non, nos goûteurs, les enfants de Maria Vander Vloedt, ont vraiment adoré !

240 ml (1 tasse) d'huile d'olive extravierge
55 g (1/4 tasse) de beurre
3 gousses d'ail broyées
55 g (2 oz) d'anchois en conserve, hachés

Versez le tout dans une petite mijoteuse. Couvrez-la. Laissez cuire 1 heure à faible intensité.

NOTE : Servez avec des légumes : fenouil, lanières de poivron, chou-fleur, champignons, céleri, cœurs d'artichaut en conserve et asperges cuites à la vapeur.

Infos : Cette préparation contient 2448 calories, 267 g de lipides, 17 g de protéines, 3 g de glucides, des traces de fibres alimentaires et 3 g de glucides assimilables. (Il est difficile d'établir le nombre exact de portions et il est improbable que vous mangiez la totalité de la préparation, même avec un grand groupe de convives. Après tout, vous ne pouvez manger l'huile d'olive chaude à la cuillère ! Voilà pourquoi les informations nutritionnelles sont pour la recette entière. Remarquez la valeur en glucides !)

Trempette chaude aux artichauts

Voici la version pour la mijoteuse de ma recette de trempette à l'artichaut et au parmesan parue dans *500 recettes à faible teneur en glucides*. Grâce à la mijoteuse, la trempette demeure chaude jusqu'à ce qu'elle soit consommée !

> 240 g (1 tasse) de mayonnaise
> 80 g (1 tasse) de fromage parmesan râpé
> 1 gousse d'ail broyée
> 225 g (8 oz) de fromage mozzarella râpé
> 400 g (14 oz) de cœurs d'artichauts en conserve, égouttés et
>   coupés

Déposez tous les ingrédients dans la mijoteuse. Remuez bien et lissez la surface. Couvrez la mijoteuse. Laissez cuire de 2 à 3 heures à faible intensité.

Servez avec des craquelins faibles en glucides ou des légumes coupés en bâtonnets.

Infos : 8 portions, chacune contenant 339 calories, 33 g de lipides, 11 g protéines, 2 g de glucides, 1 g de fibres alimentaires et 1 g de glucides assimilables.

Trempette chaude au crabe

Du crabe chaud, du fromage chaud et de l'ail ! Que demander de plus ?

240 g (1 tasse) de mayonnaise
225 g (8 oz) de cheddar râpé
4 échalotes vertes émincées
170 g (6 oz) de chair de crabe en conserve, égouttée
1 gousse d'ail broyée
85 g (3 oz) de fromage à la crème ramolli, coupé en gros morceaux

Déposez le tout dans la mijoteuse et remuez bien. Couvrez la mijoteuse. Laissez cuire environ 1 heure à faible intensité. Enlevez le couvercle. Remuez pour mélanger le formage à la crème maintenant fondu. Remettez le couvercle. Laissez cuire 1 heure de plus.

Servez avec du céleri, du poivron et du concombre.

Infos : 8 portions, chacune contenant 372 calories, 37 g de lipides, 13 g de protéines, 1 g de glucides, des traces de fibres alimentaires et 1 g de glucides assimilables.

Trempette à l'artichaut, aux épinards et à la ranch

Les trempettes à l'artichaut, aux épinards et à la ranch sont si populaires qu'il était difficile de résister à la tentation de les combiner. Le résultat est convaincant !

> 400 g (14 oz) de cœurs d'artichauts en conserve, égouttés et coupés
> 280 g (10 oz) d'épinards hachés surgelés, décongelés et égouttés
> 240 g (1 tasse) de mayonnaise
> 240 ml (1 tasse) de crème sure
> 1 sachet de 28 g (1 oz) d'assaisonnement de style ranch
> 160 g (2 tasses) de fromage parmesan râpé
> 1 gousse d'ail broyée

Vaporisez la mijoteuse à l'aide d'un antiadhésif. Déposez tous les ingrédients dans la mijoteuse et remuez bien. Couvrez la mijoteuse. Laissez cuire de 3 à 4 heures à faible intensité. Gardez la trempette chaude dans la mijoteuse pour la servir.

NOTE : Servez la trempette avec des légumes coupés en bâtonnets ou des craquelins faibles en glucides.

Infos : 12 portions, chacune contenant 247 calories, 23 g de lipides, 7 g de protéines, 4 g de glucides, 1 g de fibres alimentaires et 3 g de glucides assimilables.

⬡ Pâté au foie de poulet

Si vous aimez les foies de poulet, vous adorerez cette recette, sinon oubliez-la ! Personnellement, je les adore. Après avoir cuisiné ce plat, je n'ai mangé pratiquement que des craquelins et du pâté pendant quelques jours. Vous pouvez aussi utiliser cette préparation pour farcir des branches de céleri.

50 g (1/2 tasse) d'oignon émincé

1 gousse d'ail broyée

100 g (1/2 tasse) de champignons tranchés en lamelles

45 g (3 c. à table) de beurre

455 g (1 lb) de foies de volaille

30 ml (2 c. à table) de crème fraîche 35 % M.G.

30 ml (2 c. à table) de brandy

1 feuille de laurier émiettée

0,5 g (1/2 c. à thé) de thym séché

2,5 ml (1/2 c. à thé) de marjolaine séchée

4 g (1 c. à table) de persil frais haché

3,25 g (3/4 c. à thé) de sel ou de Vege-Sal

1 g (1/2 c. à thé) de poivre

Dans un grand poêlon épais, à faible intensité, faites sauter l'oignon, l'ail et les champignons dans le beurre. Pendant qu'ils cuisent, partagez en deux les foies de volaille en les coupant à l'endroit où ils se divisent naturellement en deux lobes. Lorsque les champignons sont ramollis et colorés, ajoutez les foies. En remuant de temps à autre, faites-les sauter jusqu'à ce qu'ils aient changé de couleur mais qu'ils ne soient pas tout à fait cuits. Déposez le mélange dans un robot culinaire muni d'une lame en « S ».

Ajoutez la crème, le brandy, la feuille de laurier, le thym, la marjolaine, le persil, le sel ou le Vege-Sal et le poivre. Faites fonctionner le robot culinaire jusqu'à l'obtention d'une purée fine et homogène.

Vaporisez un plat en verre de 720 à 960 ml (3 à 4 tasses) à l'aide d'un antiadhésif. Versez le mélange du robot dans ce plat. Déposez ce dernier dans la mijoteuse. Ajoutez soigneusement de l'eau autour du plat jusqu'à 2 cm (1 po) de son rebord. Couvrez la mijoteuse. Laissez cuire 8 heures à faible intensité ou jusqu'à ce que le mélange soit bien ferme. Éteignez l'appareil et laissez l'eau se refroidir jusqu'à ce que vous puissiez enlever le plat de la mijoteuse sans risquer de vous brûler. Retirez le plat en verre. Faites réfrigérer le pâté toute la nuit. Le moment venu, servez.

Si vous le désirez, vous pouvez vous servir à même le plat ; à l'aide d'un couteau, il suffit d'étendre le pâté sur les craquelins aux fibres. Cependant, il est plus distingué de servir des tranches de pâté sur un lit de verdures.

Infos : 8 portions, chacune contenant 138 calories, 8 g de lipides, 11 g de protéines, 4 g de glucides, des traces de fibres alimentaires et 4 g de glucides assimilables.

Noix et graines rôties

J'ai été stupéfaite de constater à quel point il était facile de faire rôtir les noix dans une mijoteuse ! Je dois vous avouer que je me suis quelque peu laissé emporter mais, que voulez-vous, j'aime vraiment les noix ! Faites-en rôtir souvent et gardez-en sous la main ; vous verrez que vous vous ennuierez beaucoup moins des croustilles et des bonbons.

Grignotines de Dana, à la mijoteuse

Cette recette, qui risque de créer une dépendance, ressemble à celle publiée dans *500 recettes à faible teneur en glucides*. Remercions le ciel qu'elle soit aussi saine ! Vous trouverez probablement des graines de citrouille et de tournesol à votre marché d'aliments naturels. Vous pouvez aussi trouver les graines de citrouille dans les épiceries sud-américaines ; elles portent l'étiquette « pepitas ».

> 55 g (4 c. à table) de beurre fondu
> 50 g (3 c. à table) de sauce Worcestershire
> 3 g (1 1/2 c. à thé) de poudre d'ail
> 10 ml (2 c. à thé) de sel aux épices
> 6 g (2 c. à thé) de poudre d'oignon
> 450 g (2 tasses) de graines de citrouille nature, décortiquées
> 225 g (1 tasse) de graines de tournesol nature, décortiquées
> 145 g (1 tasse) d'amandes
> 100 g (1 tasse) de pacanes
> 100 g (1 tasse) de noix de Grenoble
> 130 g (1 tasse) de noix de cajou
> 145 g (1 tasse) d'arachides rôties à sec

Si vous disposez d'un peu de temps, mettez le beurre à fondre dans la mijoteuse réglée à faible intensité. Autrement, faites-le fondre dans une casserole ou au micro-ondes, Dans ce dernier cas, versez-le dans la mijoteuse. Ajoutez la sauce Worcestershire, la poudre d'ail, le sel aux épices et la poudre d'oignon. Remuez bien. Ajoutez les noix et les graines. Remuez de nouveau jusqu'à ce que les noix soient entièrement enduites du mélange. Couvrez la mijoteuse. Laissez cuire de 5 à 6 heures à faible intensité tout en brassant une fois ou deux si vous êtes dans les parages.

Retirez le couvercle. Remuez le mélange et faites cuire de 45 à 60 minutes de plus pour assécher les noix et les graines. Laissez-les refroidir avant de les entreposer dans un contenant hermétique.

Infos : 24 portions de 80 ml (1/3 tasse), chacune contenant 279 calories, 25 g de lipides, 9 g de protéines, 9 g de glucides, 3 g de fibres alimentaires et 6 g de glucides assimilables.

Noix de Grenoble assaisonnées au fromage bleu

J'ai d'abord pensé réaliser cette recette avec un mélange pour vinaigrette au fromage bleu en poudre. J'ai rapidement découvert que ce produit n'existait pas, du moins dans les épiceries de mon coin de pays. J'ai donc décidé d'utiliser une vinaigrette liquide. Le résultat ne goûte pas vraiment le bleu, mais le produit fini est vraiment délicieux.

> 400 g (4 tasses) de noix de Grenoble
> 120 ml (1/2 tasse) de vinaigrette au fromage bleu
> 5 ml (1 c. à thé) de sel d'ail

Déposez les noix dans la mijoteuse et versez-y la vinaigrette. Mélangez jusqu'à ce que les noix soient bien enduites de la vinaigrette. Couvrez la mijoteuse. Laissez cuire 3 heures à faible intensité. Brassez une fois à mi-cuisson.

Saupoudrez de sel d'ail avant de servir.

Infos : 16 portions, chacune contenant 228 calories, 22 g de lipides, 8 g de protéines, 4 g de glucides, 2 g de fibres alimentaires et 2 g de glucides assimilables.

Pacanes aux épices cajuns

Pour cette recette, vous pouvez acheter un assaisonnement cajun ou préparer le vôtre en suivant la recette de la page 285.

> 455 g (1 lb) de pacanes coupées en deux
> 28 g (2 c. à table) de beurre fondu
> 18 g (3 c. à table) d'assaisonnement cajun

Déposez les pacanes dans la mijoteuse. Ajoutez le beurre pour en enduire les pacanes, puis les épices cajuns. Brassez. Couvrez la mijoteuse. Laissez cuire 3 heures à faible intensité. Brassez une fois à mi-cuisson si vous êtes dans les environs.

Infos : 16 portions, chacune contenant 118 calories, 12 g de lipides, 1 g de protéines, 4 g de glucides, 1 g de fibres alimentaires et 3 g de glucides assimilables.

Pacanes confites

Voici une gâterie à laisser traîner dans de jolis petits plats les jours de fête.

> 455 g (1 lb) de pacanes coupées en deux
> 112 g (1/2 tasse) de beurre
> 12 g (1/2 tasse) de Splenda
> 7,5 ml (1 1/2 c. à thé) de cannelle moulue
> 1,25 ml (1/4 c. à thé) de gingembre moulu
> 1,25 ml (1/4 c. à thé) de piment de la Jamaïque moulu

Faire fondre le beurre dans la mijoteuse. Déposez-y les pacanes. Mélangez ces dernières afin de bien les enduire de beurre. Saupoudrez le Splenda, la cannelle, le gingembre et le piment de la Jamaïque sur les pacanes. Remuez de nouveau.

Couvrez la mijoteuse. Laissez cuire 30 minutes à forte intensité. Retirez le couvercle. Laissez cuire de 1 1/2 à 2 heures de plus à faible intensité.

Infos : 8 portions, chacune contenant 304 calories, 32 g de lipides, 2 g de protéines, 6 g de glucides, 3 g de fibres alimentaires et 3 g de glucides assimilables.

Pacanes épicées

Cette recette ne contient pas assez de poivre de Cayenne pour être vraiment piquante, mais juste ce qu'il faut pour chatouiller les papilles.

    300 g (3 tasses) de pacanes coupées en deux
    1 blanc d'œuf
    5 ml (1 c. à thé) de cannelle
    2,5 g (1/2 c. à thé) de sel
    0,5 g (1/4 c. à thé) de Cayenne, ou au goût
    25 g (1 tasse) de Splenda

Déposez les pacanes dans la mijoteuse. Ajoutez le blanc d'œuf et remuez jusqu'à ce que les pacanes soient bien enduites.

Dans un bol, mélangez la cannelle, le sel, le Cayenne et le Splenda. Versez le mélange sur les pacanes et remuez jusqu'à ce qu'elles soient bien enrobées. Couvrez la mijoteuse. Laissez cuire 3 heures à faible intensité. Brassez chaque heure ou à peu près.

Si les noix ne sont pas sèches vers la fin des 3 heures de cuisson, retirez le couvercle de la mijoteuse et remuez. Puis laissez cuire 30 minutes de plus ou jusqu'à ce qu'elles soient bien asséchées. Conservez dans un contenant hermétique.

Infos : 9 portions, chacune contenant 242 calories, 24 g de lipides, 3 g de protéines, 7 g de glucides, 3 g de fibres alimentaires et 4 g de glucides assimilables.

Pacanes au cari

Ces pacanes sont incroyablement bonnes ! Je crois que je vais en faire une grande quantité et les offrir pour Noël !

> 45 g (3 c. à table) de beurre
> 1,25 ml (1/4 c. à thé) de mélasse noire
> 7,5 ml (1 1/2 c. à thé) de poudre de cari
> 1,25 g (1/4 c. à thé) de sel
> 1,25 ml (1/4 c. à thé) de cumin moulu
> 360 g (12 oz) de pacanes coupées en deux
> 3 g (2 c. à table) de Splenda

Dans un grand poêlon épais, à intensité moyenne-basse, faites fondre le beurre. Ajoutez la mélasse, la poudre de cari, le sel et le cumin. Laissez cuire de 1 à 2 minutes tout en mélangeant.

Ajoutez les pacanes. Remuez jusqu'à ce qu'elles soient bien enduites du mélange. Déposez le tout dans la mijoteuse. Saupoudrez le Splenda sur les pacanes. Mélangez de nouveau. Couvrez la mijoteuse. Laissez cuire de 2 à 3 heures à faible intensité en remuant de temps à autre au cours de la cuisson.

Infos : 9 portions, chacune contenant 169 calories, 17 g de lipides, 2 g de protéines, 4 g de glucides, 2 g de fibres alimentaires et 2 g de glucides assimilables.

Arachides fumées au chili

Ah, mon Dieu ! Ces arachides sont croustillantes et piquantes, tout simplement succulentes. Cœurs fragiles s'abstenir !

> 55 g (1/4 tasse) de beurre fondu
> 14 g (2 c. à table) de poudre de chili
> 15 ml (1 c. à table) d'arôme de fumée liquide
> 680 g (24 oz) d'arachides salées en pot, rôties à sec

Déposez le beurre, la poudre de chili et l'arôme de fumée liquide dans la mijoteuse. Remuez bien. Ajoutez les arachides et remuez-les jusqu'à ce qu'elles soient bien enduites du mélange. Couvrez la mijoteuse. Laissez cuire de 2 à 2 1/2 heures à faible intensité.

Retirez le couvercle. Remuez de nouveau et laissez cuire 30 minutes de plus ou jusqu'à ce que les arachides soient asséchées.

Conservez les arachides dans leur pot d'origine !

Infos : 24 portions, chacune contenant 185 calories, 16 g de lipides, 7 g de protéines, 6 g de glucides, 2 g de fibres alimentaires et 4 g de glucides assimilables.

 # Amandes au beurre épicé

> 435 g (3 tasses) d'amandes
> 28 g (2 c. à table) de beurre fondu
> 10 ml (2 c. à thé) d'extrait de vanille
> 10 ml (2 c. à thé) d'extrait à saveur de beurre
> 12 g (1/2 tasse) de Splenda
> 5 ml (1 c. à thé) de cannelle moulue
> 1,25 g (1/4 c. à thé) de sel

Déposez les amandes dans la mijoteuse.

Dans un bol, mélangez le beurre, l'extrait de vanille et l'extrait à saveur de beurre. Versez le mélange sur les amandes. Remuez pour bien les enduire. Ajoutez le Splenda, la cannelle et le sel. Remuez de nouveau. Couvrez la mijoteuse. Laissez cuire de 4 à 5 heures à faible intensité en remuant une fois ou deux.

Le temps de cuisson écoulé, retirez le couvercle de la mijoteuse. Remuez de nouveau les amandes. Laissez-les cuire de 30 à 45 minutes de plus. Conservez les amandes dans un contenant hermétique.

Infos : 6 portions, chacune contenant 457 calories, 41 g de lipides, 14 g de protéines, 15 g de glucides, 8 g de fibres alimentaires et 7 g de glucides assimilables.

Noix glacées à l'érable

300 g (3 tasses) de noix de Grenoble
7,5 ml (1 1/2 c. à thé) de cannelle moulue
14 g (1 c. à table) de beurre fondu
1,25 g (1/4 c. à thé) de sel
10 ml (2 c. à thé) d'extrait de vanille
80 ml (1/3 tasse) de sirop à crêpes (sans sucre)
8 g (1/3 tasse) de Splenda

Déposez les noix dans la mijoteuse.

Dans un bol, mélangez la cannelle, le beurre, le sel, l'extrait de vanille, le sirop à crêpes et 6 g (1/4 tasse) de Splenda. Versez le mélange dans la mijoteuse. Remuez pour bien enduire les noix du mélange. Couvrez la mijoteuse. Laissez cuire de 2 à 3 heures à faible intensité en remuant le mélange une fois l'heure environ.

Retirez le couvercle de la mijoteuse. En brassant toutes les 20 minutes, laissez cuire le mélange jusqu'à ce que les noix soient presque sèches. Incorporez les 2 g (2 c. à table) restants de Splenda et laissez cuire 20 minutes de plus. Retirez les noix de la mijoteuse. Laissez-les refroidir et conservez-les dans un contenant hermétique.

Infos : 9 portions, chacune contenant 268 calories, 25 g de lipides, 10 g de protéines, 6 g de glucides, 2 g de fibres alimentaires et 4 g de glucides assimilables.

CHAPITRE DEUX

Les œufs

Les œufs cuisent si rapidement qu'il semble absurde de vouloir les cuisiner à la mijoteuse. Voici cependant deux recettes qui donnent de très bons résultats.

Œufs florentins de Maria

Maria, une de nos dégustatrices, a inventé cette recette.

> 225 g (2 tasses) de fromage cheddar râpé
> 280 g (10 oz) d'épinards hachés surgelés, dégelés et égouttés
> 225 g (8 oz) de champignons en conserve, égouttés
> 25 g (1/4 tasse) d'oignon haché
> 6 œufs battus
> 240 ml (1 tasse) de crème fraîche 35 % M.G.
> 2 g (1 c. à thé) de poivre noir
> 0,5 g (1/2 c. à thé) d'assaisonnement à l'italienne
> 1 g (1/2 c. à thé) de poudre d'ail

Vaporisez la mijoteuse d'un antiadhésif. Étendez la moitié du fromage sur le fond de la mijoteuse. Ajoutez les épinards, les champignons et les oignons pour recouvrir le fromage.

Dans un bol, mélangez les œufs, la crème, le poivre, l'assaisonnement à l'italienne et la poudre d'ail. Versez le mélange dans la mijoteuse. Recouvrez avec l'autre moitié du fromage. Couvrez la mijoteuse. Laissez cuire 2 heures à forte intensité ou jusqu'à ce que le centre du mélange soit ferme.

Infos : 4 portions, chacune contenant 568 calories, 48 g de lipides, 27 g de protéines, 10 g de glucides, 4 g de fibres alimentaires et 6 g de glucides assimilables.

Quiche au brocoli, au bacon et au Colby

Cette quiche, sans croûte, est tout simplement délicieuse. De la même manière, n'hésitez pas à essayer n'importe quelle autre recette de quiche en omettant la croûte. Dans cette recette, j'utilise des morceaux de brocoli plus gros que le brocoli haché, mais plus petits que les fleurs ; je trouve que ce format est idéal.

> 500 g (2 tasses) de fleurs de brocoli surgelées, dégelées et grossièrement hachées, ou un sac de morceaux de brocoli
> 225 g (2 tasses) de fromage Colby
> 6 tranches de bacon cuit
> 4 œufs
> 480 ml (2 tasses) de breuvage au lait Carb Countdown
> 5 g (1 c. à thé) de sel ou de Vege-Sal
> 3 g (1 c. à thé) de moutarde sèche
> 10 g (2 c. à thé) de raifort préparé
> 0,5 g (1/4 c. à thé) de poivre

Vaporisez un plat de cuisson en verre de 1 1/2 litre (6 tasses) d'un antiadhésif.

Placez le brocoli dans le fond du plat. Répartissez également le fromage sur le brocoli, puis émiettez le bacon sur le fromage.

Dans un bol, fouettez les œufs, le Carb Countdown, le sel ou le Vege-Sal, la moutarde sèche, le raifort et le poivre. Versez sur la préparation dans le plat.

Placez le plat de verre dans la mijoteuse. Ajoutez soigneusement de l'eau autour du plat jusqu'à 2 cm (1 po) de son rebord. Couvrez la mijoteuse. Laissez cuire 4 heures à faible intensité.

Le temps de cuisson écoulé, éteignez l'appareil. Retirez le couvercle et laissez l'eau se refroidir jusqu'à ce que vous puissiez enlever le plat de verre sans risquer de vous brûler. Servez chaud ou à la température ambiante.

Infos : 6 portions, chacune contenant 292 calories, 21 g de lipides, 20 g de protéines, 6 g de glucides, 2 g de fibres alimentaires et 4 g de glucides assimilables.

CHAPITRE TROIS

La volaille

Vous trouverez ici un million de façons d'apprêter le poulet, et quelques suggestions en ce qui concerne la dinde ! Vous remarquerez que beaucoup de recettes (pas toutes) demandent une volaille sans peau. La raison en est simple : quand elle cuit à la vapeur de la mijoteuse, la peau n'a pas très bon goût et est peu appétissante.

Dans les recettes présentées, selon ce qui m'est apparu le plus séduisant, j'ai utilisé tant la viande blanche que la brune (poitrines ou cuisses). Cependant, soyez très à l'aise d'utiliser la viande que vous préférez ou celle que vous aurez obtenue à rabais. Souvent, il est plus économique d'acheter un poulet entier découpé en morceaux et d'enlever soi-même la peau de ce dernier une fois rendu à la maison. De plus, assurez-vous d'enlever la plupart des petites boules de gras, ce qui allégera grandement votre sauce d'accompagnement.

Burritos au poulet

Wow ! Ils sont faciles à préparer, délicieux, hypoglucidiques et hypocaloriques. De plus, ils se réchauffent facilement. Que demander de plus ?

1,25 kg (2 3/4 lb) de cuisses de poulet désossées, sans la peau
5 gousses d'ail broyées
14 g (2 c. à table) de poudre de chili
30 ml (2 c. à table) d'huile d'olive
30 ml (2 c. à table) de jus de lime
5 g (1 c. à thé) de sel
1 gros jalapeño haché, ou 10 ml (2 c. à thé) de jalapeños en conserve
12 tortillas à faible teneur en glucides de 15 cm (6 po)
70 g (1 tasse) de laitue hachée
110 g (1 tasse) de fromage cheddar râpé
160 ml (2/3 tasse) de crème sure légère
195 g (3/4 tasse) de salsa
10 g (1/2 tasse) de feuilles de coriandre fraîches, hachées (facultatif)

Déposez le poulet dans la mijoteuse.

Dans un bol, mélangez l'ail, la poudre de chili, l'huile d'olive, le jus de lime, le sel et le jalapeño. Versez ce mélange sur le poulet. Remuez bien pour enduire le poulet du mélange. Couvrez la mijoteuse. Laissez cuire 10 heures à faible intensité (ou 5 heures à forte intensité).

Le temps de cuisson écoulé, remuez le mélange à l'aide d'une fourchette jusqu'à ce que votre plat ne soit plus constitué que de savoureuses lanières de poulet. Remplissez chaque tortilla de 100 g (1/3 tasse) de poulet, puis garnissez avec la laitue, le fromage, 15 ml (1 c. à table) de crème sure, 15 ml (1 c. à table comble) de salsa et un peu de feuilles de coriandre, si désiré. Roulez et dévorez !

C'est un repas fantastique pour une famille dont certains membres aiment les mets faibles en glucides et dont les autres n'y attachent aucune d'importance. Donnez-leur des tortillas régulières ou (mieux) à la farine de blé entier. Le poulet se conserve bien au réfrigérateur et se réchauffe rapidement au micro-ondes pour donner un casse-croûte rapide. (Selon moi, 45 secondes à 70 % de la puissance maximale suffisent amplement pour réchauffer une portion de 100 g.)

Infos : 12 portions, chacune contenant 225 calories, 13 g de lipides, 22 g de protéines, 14 g de glucides, 9 g de fibres alimentaires et 5 g de glucides assimilables.

Chili au poulet facile à faire

Le nom dit tout !

> 1 kg (2,2 lb) de poitrines de poulet désossées, sans la peau
> 455 g (16 oz) de salsa préparée (en pot)
> 7 g (1 c. à table) de poudre de chili
> 5 ml (1 c. à thé) de bouillon de poulet concentré
> 85 g (3 oz) de fromage monterey Jack râpé
> 90 ml (6 c. à table) de crème sure légère

Déposez le poulet dans la mijoteuse.

Dans un bol, mélangez la salsa, la poudre de chili et le bouillon. Assurez-vous de bien dissoudre le bouillon. Versez le mélange sur le poulet. Couvrez la mijoteuse. Laissez cuire de 7 à 8 heures à faible intensité.

Le temps de cuisson écoulé, défaites le poulet à l'aide d'une fourchette. Garnissez de fromage et de crème sure. Servez.

Infos : 6 portions, chacune contenant 263 calories, 9 g de lipides, 39 g de protéines, 6 g de glucides, 2 g de fibres alimentaires et 4 g de glucides assimilables.

Chili verde au poulet

Cette recette tirée de *15-Minutes Low-Carb Recipes* (Recettes à faible teneur en glucides prêtes en 15 minutes) est merveilleuse ; elle est vraiment différente du chili traditionnel au bœuf.

> 700 g (1 1/2 lb) de poitrines de poulet désossées, sans la peau
> 390 g (1 1/2 tasse) de salsa verde préparée
> 1/2 oignon moyen, haché
> 1 feuille de laurier
> 1 g (1/2 c. à thé) de poivre
> 5 ml (1 c. à thé) de cumin moulu
> 5 ml (1 c. à thé) d'ail émincé ou 2 gousses d'ail broyées
> 6 à 12 g (1 à 2 c. à table) de jalapeños tranchés en conserve [J'opte pour 12 g (2 c. à table), ce qui rend le chili assez piquant.]
> 30 ml (2 c. à table) de bouillon de poulet concentré
> Guar ou xanthane (facultatif)
> Crème sure
> Fromage monterey Jack râpé
> Feuilles de coriandre fraîches, hachées [J'en mets 2 g (2 c. à table), ce qui rend le chili assez piquant.]

Déposez le poulet dans la mijoteuse. Ajoutez la salsa verde, l'oignon, la feuille de laurier, le poivre, le cumin, l'ail, les jalapeños et le bouillon. Couvrez la mijoteuse. Laissez cuire de 9 à 10 heures à faible intensité.

Le temps de cuisson écoulé, défaites le poulet à l'aide d'une fourchette. Brassez un peu. Au besoin, épaississez légèrement le chili avec le guar ou le xanthane. Garnissez chaque portion de crème sure, de fromage et de feuilles de coriandre.

Infos : 5 portions, chacune contenant 190 calories, 2 g de lipides, 32 g de protéines, 7 g de glucides, des traces de fibres alimentaires et 7 g de glucides assimilables. (L'analyse nutritionnelle ne tient pas compte de la garniture.)

Poulet cacciatore

Un grand classique dans une version mijoteuse ! Une recette extrêmement facile à réaliser.

> 6 cuisses de poulet avec les dos, sans la peau, soit 1,5 kg (environ 3 lb)
> 500 g (2 tasses) de sauce à spaghetti sans sucre ajouté (J'utilise la Hunt's.)
> 225 g (8 oz) de champignons entiers en conserve, égouttés
> 10 ml (2 c. à thé) d'origan séché
> 50 g (1/2 tasse) d'oignon haché
> 1 poivron vert coupé en dés
> 2 gousses d'ail broyées
> 60 ml (1/4 tasse) de vin rouge sec
> Guar ou xanthane (facultatif)

Sans autre cérémonie, déposez tous les ingrédients, sauf le guar ou le xanthane, dans la mijoteuse. Remuez bien. Couvrez la mijoteuse. Laissez cuire 7 heures à faible intensité.

Le temps de cuisson écoulé, retirez le poulet à l'aide de pinces et mettez-le dans un grand bol de service. Au besoin, épaississez la sauce avec le guar ou le xanthane. Versez la sauce sur le poulet.

Si vous le souhaitez, vous pouvez servir le poulet sur du fleur-riz (page 290), de la courge spaghetti, voire des pâtes faibles en glucides. Pour ma part, je le préfère tel quel.

Infos : 6 portions, chacune contenant 293 calories, 8 g de lipides, 42 g de protéines, 11 g de glucides, 4 g de fibres alimentaires et 7 g de glucides assimilables.

Poulet au paprika

Ah, la cuisine hongroise ! Vous pouvez utiliser une crème sure non allégée pour faire cette sauce somptueuse, ou du yogourt nature après en avoir d'abord retiré le petit-lait aqueux.

> 50 g (1/2 tasse) d'oignon haché
> 14 g (1 c. à table) de beurre
> 15 ml (1 c. à table) d'huile
> 1,5 kg (environ 3 lb) de cuisses de poulet
> 120 ml (1/2 tasse) de bouillon de poulet
> 60 ml (1/4 tasse) de vin blanc sec
> 24 g (1 1/2 c. à table) de pâte de tomate
> 5 ml (1 c. à thé) de bouillon de poulet concentré
> 13 g (1 1/2 c. à table) de paprika
> 2,5 ml (1/2 c. à thé) de graines de cumin
> 0,5 g (1/4 c. à thé) de poivre
> 120 ml (1/2 tasse) de crème sure légère
> Guar ou xanthane (facultatif)

Dans un grand poêlon épais, à intensité moyenne-basse, faites sauter l'oignon dans le beurre et l'huile pour le colorer. Placez l'oignon dans la mijoteuse. Ensuite, à intensité moyenne, faites sauter le poulet dans le poêlon jusqu'à ce qu'il soit uniformément doré. Placez-le également dans la mijoteuse.

Retirez l'excédent d'huile du poêlon et ajoutez-y le bouillon de poulet et le vin. Remuez pour dissoudre les sucs de cuisson présents au fond du poêlon. Mélangez la pâte de tomate et le concentré. Lorsque ces derniers seront bien dissous, versez la préparation sur le poulet.

Saupoudrez le paprika, les graines de cumin et le poivre sur le poulet. Couvrez la mijoteuse. Laissez cuire 6 heures à faible intensité.

Le temps de cuisson écoulé, retirez le poulet à l'aide de pinces ou d'une cuillère trouée. Déposez-le sur un plateau. Incorporez la crème sure au bouillon dans la mijoteuse. Au besoin, épaississez avec le guar ou le xanthane. Servez la sauce avec le poulet.

Accompagnez le poulet de fauxtates (page 291), également nappés de ce bon bouillon !

Infos : 5 portions, chacune contenant 537 calories, 39 g de lipides, 39 g de protéines, 5 g de glucides, 1 g de fibres alimentaires et 4 g de glucides assimilables.

Poulet au cari et au lait de coco

Le jour où j'ai fait cette recette pour la première fois, mon équipe de ménage n'arrêtait pas de me dire comment ça sentait bon. C'est encore mieux lorsqu'on y goûte ! Vous trouverez le lait de coco dans la section asiatique des grandes épiceries ou dans les marchés spécialisés. Il existe en version régulière ou allégée ; les deux ont la même teneur en glucides. Alors, n'hésitez pas à prendre celui que vous préférez.

> 1,5 kg (environ 3 lb) de cuisses de poulet, sans la peau
> 50 g (1/2 tasse) d'oignon haché
> 2 gousses d'ail broyées
> 9 g (1 1/2 c. à table) de poudre de cari
> 240 ml (1 tasse) de lait de coco
> 5 ml (1 c. à thé) de bouillon de poulet concentré
> Guar ou xanthane

Déposez le poulet, l'oignon et l'ail dans la mijoteuse.

Dans un bol, mélangez la poudre de cari, le lait de coco et le bouillon. Versez le mélange sur le poulet et les légumes dans la mijoteuse. Couvrez la mijoteuse. Laissez cuire 6 heures à faible intensité.

Le temps de cuisson écoulé, retirez le poulet de la mijoteuse et placez-le sur un plateau. Au besoin, épaississez la sauce avec le guar ou le xanthane.

Vous pourrez servir ce poulet avec du fleur-riz (page 290) pour absorber le surplus de sauce au cari ; cette dernière est trop bonne pour en laisser !

Infos : 5 portions, chacune contenant 310 calories, 18 g de lipides, 32 g de protéines, 6 g de glucides, 2 g de fibres alimentaires et 4 g de glucides assimilables.

⌂ Poulet Vindaloo

J'ai élaboré cette recette alors que j'étais en camping, au cours du week-end du Memorial Day. J'ai connu un succès fou auprès de nos voisins. Ce plat est tout simplement exotique et délicieux !

3 kg (6 ½ lb) de cuisses de poulet désossées, sans la peau
1 oignon moyen haché
5 gousses d'ail broyées
32 g (1/4 tasse) de racine de gingembre râpée
20 ml (4 c. à thé) de garam masala (page 287) ou le produit commercial du même nom
5 ml (1 c. à thé) de curcuma moulu
60 ml (1/4 tasse) de jus de lime
60 ml (1/4 tasse) de vinaigre de riz
120 ml (1/2 tasse) de bouillon de poulet
5 g (1 c. à thé) de sel

Déposez le poulet, l'oignon et l'ail dans la mijoteuse.

Dans un bol, mélangez le gingembre, le garam masala, le curcuma, le jus de lime, le vinaigre, le bouillon et le sel. Versez le mélange sur le poulet. Couvrez la mijoteuse. Laissez cuire de 6 à 7 heures à faible intensité.

Servez avec le chutney à la mijoteuse (page 250).

Infos : 12 portions, chacune contenant 295 calories, 10 g de lipides, 46 g de protéines, 2 g de glucides, des traces de fibres alimentaires et 2 g de glucides assimilables.

Poulet à la sauce framboise et aux chipotles

Ah, mon Dieu, que c'est bon ! Ma seule déception avec cette recette, c'est que la sauce framboise perd sa brillante couleur rubis au cours de la longue cuisson. Cependant, sa bonne saveur demeure. Vous pouvez utiliser cette sauce nature, comme condiment pour la volaille rôtie ou le porc. Si vous ne trouvez pas le sirop à la framboise chez votre marchand de café local, vous pouvez le commander par Internet.

> 1,5 kg (environ 3 lb) de poulet, soit un poulet entier
> 30 ml (6 c. à thé) d'assaisonnement adobo
> 30 ml (2 c. à table) d'huile
> 110 g (1 tasse) de framboises
> 60 ml (1/4 tasse) de sirop pour le café sans sucre parfumé à la framboise (J'utilise la marque Atkins, mais la Da Vinci ferait tout aussi bien.)
> 1 piment chipotle en conserve dans la sauce adobo
> 15 ml (1 c. à table) de vinaigre de vin blanc
> 5 g (1/4 tasse) de feuilles de coriandre fraîches, hachées (facultatif)

Saupoudrez le poulet de l'assaisonnement adobo.

Dans un grand poêlon épais, à intensité moyenne-haute, chauffez l'huile. Faites-y dorer le poulet de tous les côtés. Puis, déposez-le dans la mijoteuse.

Dans un mélangeur ou un robot culinaire muni d'une lame en « S », battez les framboises, le sirop pour le café parfumé à la framboise, le chipotle et le vinaigre de vin blanc. Continuez à faire tourner l'appareil jusqu'à ce que le mélange soit lisse et homogène. Versez ce dernier sur le poulet. Couvrez la mijoteuse. Laissez cuire 6 heures à faible intensité.

Remuez la sauce avant de la verser sur le poulet. Si vous le désirez, saupoudrez un peu de coriandre sur chaque morceau de poulet. Servez.

Infos : 5 portions, chacune contenant 492 calories, 36 g de lipides, 35 g de protéines, 5 g de glucides, 2 g de fibres alimentaires et 3 g de glucides assimilables.

Ragoût de poulet

Ce plat diffère agréablement de l'éternel ragoût de bœuf. Il est léger et savoureux. De plus, le repas entier tient dans un même pot !

> 30 ml (2 c. à table) d'huile d'olive
> 700 g (1 1/2 lb) de cuisses de poulet désossées, sans la peau,
>   coupées en cubes de 2 cm (1 po)
> 225 g (8 oz) de champignons tranchés
> 1 oignon moyen, haché
> 340 g (3 tasses) de tranches de courgette
> 4 gousses d'ail broyées
> 400 g (14 oz) de tomates en conserve coupées en dés
> 180 ml (3/4 tasse) de bouillon de poulet
> 5 ml (1 c. à thé) de bouillon de poulet concentré
> 4 g (1 c. à table) d'assaisonnement pour volaille
> Guar ou xanthane

Dans un grand poêlon épais, chauffez 15 ml (1 c. à table) d'huile. Faites-y dorer le poulet. Puis, déposez le poulet dans la mijoteuse.

Faites chauffer le reste de l'huile dans le poêlon et faites-y sauter les champignons, l'oignon et la courgette jusqu'à ce que les champignons soient colorés et que les oignons deviennent transparents. Déposez le tout dans la mijoteuse et ajoutez l'ail et les tomates.

Versez le bouillon et le concentré dans le poêlon et remuez-les pour dissoudre les sucs de cuisson. Incorporez le mélange dans la mijoteuse. Saupoudrez le tout de l'assaisonnement pour volaille. Couvrez la mijoteuse. Laissez cuire de 4 à 5 heures à faible intensité.

Le temps de cuisson écoulé, épaississez le liquide de la mijoteuse avec le guar ou le xanthane.

Infos : 6 portions, chacune contenant 159 calories, 8 g de lipides, 11 g de protéines, 12 g de glucides, 2 g de fibres alimentaires et 10 g de glucides assimilables.

Poulet aux carottes, au chou, aux navets et aux aromates

Cette recette me fait penser à un plat régional typique de la France quoique je n'aie jamais visité la campagne de ce pays. Alors, qu'est-ce que j'en sais ? Par contre, je sais que ce plat est succulent, et c'est suffisant !

2,5 kg (5 lb) de poulet, soit 1 poulet entier
22,5 ml (1 1/2 c. à table) d'huile d'olive
21 g (1 1/2 c. à table) de beurre
2 navets moyens, coupés en cubes de 1 cm (1/2 po)
2 carottes moyennes, coupées en rondelles de 1 cm (1/2 po) d'épaisseur
1 oignon moyen, coupé en demi-rondelles de 0,5 cm (1/4 po) d'épaisseur
1 chou
4 gousses d'ail broyées
2,5 ml (1/2 c. à thé) de romarin séché
0,5 g (1/2 c. à thé) de thym séché
2,5 ml (1/2 c. à thé) de basilic séché
2 feuilles de laurier

Dans un grand poêlon épais, à intensité moyenne-haute, faites dorer le poulet des deux côtés dans l'huile et le beurre fondu.

Lorsque le poulet est bien doré, déposez-le dans un plat et réservez. Retirez l'excédent d'huile, mais conservez de 15 à 30 ml (1 ou 2 c. à table) pour faire sauter les navets, les carottes et l'oignon. Tout en grattant les sucs au fond du poêlon, faites sauter les légumes jusqu'à ce qu'ils soient légèrement colorés.

Transférez les légumes dans la mijoteuse.

Coupez le chou en petits quartiers et ajoutez-les sur le dessus des légumes. Déposez le poulet sur le chou. Dispersez l'ail sur le poulet et les légumes ; assurez-vous qu'il y en ait sur le poulet et qu'il en tombe quelques morceaux sur les légumes. Saupoudrez le romarin, le thym, le basilic et le laurier dans la mijoteuse ; encore là, assurez-vous que ces aromates se retrouvent dans les légumes. Salez et poivrez. Couvrez la mijoteuse. Laissez cuire de 6 à 7 heures à faible intensité.

Infos : 8 portions, chacune contenant 510 calories, 37 g de lipides, 36 g de protéines, 6 g de glucides, 2 g de fibres alimentaires et 4 g de glucides assimilables.

Poulet épicé aux agrumes

Une recette simple, aux parfums ensoleillés !

80 ml (1/3 tasse) de jus de citron

3 g (2 c. à table) de Splenda

2,5 ml (1/2 c. à thé) d'extrait d'orange

120 ml (1/2 tasse) de ketchup sans sucre de Dana (page 276) ou de ketchup commercial faible en glucides

40 g (2 c. à table) de marmelade d'oranges à faible teneur en sucre

2,5 ml (1/2 c. à thé) de cannelle moulue

2,5 ml (1/2 c. à thé) de piment de la Jamaïque moulu

0,75 ml (1/8 c. à thé) de clous de girofle moulus

0,5 g (1/4 c. à thé) de Cayenne

1,5 kg (environ 3 lb) de cuisses de poulet, sans la peau

Dans un bol, mélangez le jus de citron, le Splenda, l'extrait d'orange, le ketchup, la marmelade, la cannelle, le piment de la Jamaïque, les clous de girofle et le Cayenne.

Déposez le poulet dans la mijoteuse et versez-y la sauce. Couvrez la mijoteuse. Laissez cuire 6 heures à faible intensité.

Servez avec du fleur-riz (page 290).

Infos : 5 portions, chacune contenant 191 calories, 6 g de lipides, 31 g de protéines, 2 g de glucides, des traces de fibres alimentaires et 2 g de glucides assimilables.

Poulet et légumes à l'italienne

1/2 chou, coupé en petits quartiers
1 oignon moyen haché
225 g (8 oz) de champignons tranchés
1 kg (2,2 lb) de poitrines de poulet, sans la peau
1 kg (2,2 lb) de cuisses de poulet, sans la peau
500 g (2 tasses) de sauce à spaghetti sans sucre ajouté (J'utilise
   la marque Hunt's.)
Guar ou xanthane (facultatif)
Fromage parmesan râpé

Mettez le chou, l'oignon et les champignons dans la mijoteuse.
Déposez le poulet sur les légumes. Versez la sauce à spaghetti sur
le tout.

Couvrez la mijoteuse. Laissez cuire 6 heures à faible intensité. Au
besoin, épaississez la sauce avec le guar ou le xanthane. Servez
avec le fromage parmesan.

Infos : 6 portions, chacune contenant 254 calories, 5 g de lipides,
46 g de protéines, 4 g de glucides, 1 g de fibres alimentaires et 3 g
de glucides assimilables.

Poulet au citron

Un régal !

> 1,5 kg (environ 3 lb) de cuisses de poulet, sans la peau
> 28 g (2 c. à table) de beurre
> 5 ml (1 c. à thé) d'origan séché
> 2,5 ml (1/2 c. à thé) de sel aux épices
> 0,5 g (1/4 c. à thé) de poivre
> 60 ml (1/4 tasse) de bouillon de poulet
> 45 ml (3 c. à table) de jus de citron
> 2 gousses d'ail broyées
> 8 g (2 c. à table) de persil frais haché
> 5 ml (1 c. à thé) de bouillon de poulet concentré
> Guar ou xanthane

Dans un grand poêlon épais, à intensité moyenne-haute, faites dorer le poulet dans le beurre fondu.

Dans un bol, mélangez l'origan, le sel aux épices et le poivre. Lorsque le poulet est bien doré, saupoudrez-y le mélange d'épices. Transférez le poulet dans la mijoteuse.

Versez le bouillon et le jus de citron dans le poêlon et déglacez. Ajoutez l'ail, le persil et le bouillon concentré. Remuez le mélange jusqu'à ce que le bouillon soit dissous. Versez le tout dans la mijoteuse.

Couvrez la mijoteuse. Laissez cuire de 4 à 5 heures à faible intensité. Lorsque le poulet est devenu tendre, retirez-le de la mijoteuse. Épaississez un peu la sauce avec le guar ou le xanthane. Servez cette dernière avec le poulet.

Ce plat est merveilleux lorsqu'il est accompagné de fleur-riz (page 290).

Infos : 6 portions, chacune contenant 200 calories, 9 g de lipides, 26 g de protéines, 2 g de glucides, 1 g de fibres alimentaires et 1 g de glucides assimilables.

Poulet au thym et aux artichauts

Un classique qui ne demande que très peu de travail !

> 700 g (1 1/2 lb) de cuisses de poulet désossées, sans la peau
> 30 ml (2 c. à table) d'huile d'olive
> 120 ml (1/2 tasse) de vin blanc sec
> 15 ml (1 c. à table) de jus de citron
> 5 ml (1 c. à thé) de bouillon de poulet concentré
> 2 g (2 c. à thé) de thym séché
> 1 gousse d'ail broyée
> 0,5 g (1/4 c. à thé) de poivre
> 370 g (13 oz) de cœurs d'artichauts en conserve, égouttés
> Guar ou xanthane

Dans un grand poêlon épais, à intensité moyenne-haute, faites dorer le poulet des deux côtés dans l'huile. Puis, transférez-le dans la mijoteuse.

Dans un bol, mélangez le vin, le jus de citron, le bouillon, le thym, l'ail et le poivre. Versez le mélange sur le poulet. Déposez les artichauts sur le dessus. Couvrez la mijoteuse. Laissez cuire 6 heures à faible intensité.

Le temps de cuisson écoulé, retirez le poulet et les artichauts à l'aide d'une cuillère trouée. Épaississez le liquide avec le guar ou le xanthane jusqu'à ce qu'il adhère à une cuillère de bois.

Servez le poulet, les artichauts et la sauce sur du fleur-riz (page 290).

Infos : 4 portions, chacune contenant 314 calories, 10 g de lipides, 42 g de protéines, 7 g de glucides, des traces de fibres alimentaires et 7 g de glucides assimilables.

 # Poulet au citron

Cette recette ressemble à la précédente, sauf que l'estragon est très différent du thym et que les artichauts y sont absents !

> 1,5 kg (environ 3 lb) de cuisses de poulet, sans la peau
> 120 ml (1/2 tasse) de vin blanc sec
> 120 ml (1/2 tasse) de jus de citron
> 0,5 g (1 c. à thé) de Splenda
> 2 g (1 c. à table) d'estragon séché
> 1 g (1/2 c. à thé) de poivre
> 5 ml (1 c. à thé) de bouillon de poulet concentré
> Guar ou xanthane

Déposez le poulet dans la mijoteuse.

Dans un bol, mélangez le vin, le jus de citron, le Splenda, l'estragon, le poivre et le bouillon concentré. Brassez jusqu'à ce que le bouillon soit complètement dissous. Versez le mélange sur le poulet. Couvrez la mijoteuse. Laissez cuire 6 heures à faible intensité.

Répartissez le poulet dans les assiettes. Épaississez le liquide de cuisson avec le guar ou le xanthane afin obtenir la texture d'une crème.

Infos : 6 portions, chacune contenant 176 calories, 5 g de lipides, 26 g de protéines, 3 g de glucides, des traces de fibres alimentaires et 3 g de glucides assimilables.

Poulet des années 1960 à la manière de ma mère (révisée)

Dans les années 1960, ma mère faisait un plat de poitrines de poulet garnies de bacon ; les poitrines étaient couchées sur un nid de fines lanières de bœuf et nappées d'une sauce faite avec de la crème sure et de la crème de champignons. Cette recette avait un goût beaucoup plus sophistiqué qu'il n'y paraît et elle lui a toujours valu des louanges de la part des invités. Voici ma tentative de réduire la teneur en glucides de cette recette et de l'adapter à la cuisson à la mijoteuse ; bien sûr, j'ai omis la crème de champignons.

> 64 g (2 1/4 oz) de fines tranches de bœuf séché
> 6 tranches de bacon
> 1 kg (2,2 lb) de poitrines de poulet désossées, sans la peau
> 100 g (1/2 tasse) de champignons tranchés
> 14 g (1 c. à table) de beurre
> 240 ml (1 tasse) de crème fraîche 35 % M.G.
> 5 ml (1 c. à thé) de bouillon de bœuf concentré
> 1 pincée de poudre d'oignon
> 1 pincée de sel de céleri
> 0,5 g (1/4 c. à thé) de poivre
> Guar ou xanthane
> 240 ml (1 tasse) de crème sure
> Paprika

Couvrez le fond de la mijoteuse avec les lanières de bœuf séché.

Déposez le bacon dans une assiette à tarte en verre ou sur un support à bacon allant au micro-ondes. Faites-le cuire au micro-ondes de 3 à 4 minutes à intensité maximale. Égouttez le bacon et réservez. (Il s'agit d'enlever un peu de graisse au bacon sans que ce dernier ne devienne croustillant.)

Coupez le poulet en 6 portions. Enveloppez chaque morceau dans une tranche de bacon, puis déposez les morceaux sur le bœuf séché déjà dans la mijoteuse.

Dans un grand poêlon épais, faites sauter les champignons dans le beurre jusqu'à ce qu'ils soient ramollis. Ajoutez la crème fraîche et le bouillon. Remuez jusqu'à ce que le bouillon soit dissous. Ajoutez la poudre d'oignon, le sel de céleri et le poivre. Épaississez avec le guar ou le xanthane jusqu'à ce que le mélange atteigne la consistance d'une sauce. Ajoutez la crème sure et remuez bien.

Versez la sauce sur les poitrines de poulet et saupoudrez un peu de paprika. Couvrez la mijoteuse. Laissez cuire de 5 à 6 heures à faible intensité.

Au moment de servir, ajoutez un peu de bœuf séché et de sauce sur chaque morceau de poulet enrobé de bacon.

Infos : 6 portions, chacune contenant 472 calories, 32 g de lipides, 41 g de protéines, 4 g de glucides, des traces de fibres alimentaires et 4 g de glucides assimilables.

Le mole poblano (poulet au chocolat)

Le *mole poblano* ou poulet au chocolat est le plat national au Mexique, et j'en raffole. Lors de ma lune de miel dans ce pays, j'ai acheté une énorme boîte de poulet au chocolat à l'épicerie locale. J'ai conservé ce tendre délice dans le réfrigérateur de la chambre d'hôtel et m'en suis fait réchauffer des portions au micro-ondes ! Voici une version pour la mijoteuse.

411 g (14 1/2 oz) de tomates en conserve avec piments verts
50 g (1/2 tasse) d'oignon haché
30 g (1/4 tasse) d'amandes effilées, grillées
3 gousses d'ail broyées
17 g (3 c. à table) de cacao en poudre non sucré
35 g (2 c. à table) de raisins secs
7 g (1 c. à table) de graines de sésame
1,5 g (1 c. à table) de Splenda
1,25 ml (1/4 c. à thé) de cannelle moulue
1,25 ml (1/4 c. à thé) de muscade moulue
0,5 g (1/4 c. à thé) de coriandre moulue
1,25 g (1/4 c. à thé) de sel
1,5 kg (environ 3 lb) de cuisses de poulet, sans la peau
Guar ou xanthane
15 g (2 c. à table) d'amandes effilées, grillées

Mettez les tomates, l'oignon, 30 g (1/4 tasse) d'amandes, l'ail, le cacao en poudre, les raisins secs, les graines de sésame, le Splenda, la cannelle, la muscade, la coriandre et le sel dans un mélangeur ou dans un robot culinaire et hachez grossièrement.

Déposez le poulet dans la mijoteuse. Versez-y la sauce. Couvrez la mijoteuse. Laissez cuire de 9 à 10 heures à faible intensité.

Retirez le poulet de la mijoteuse à l'aide de pinces. Au besoin, épaississez la sauce avec le guar ou le xanthane. Versez la sauce sur le poulet. Saupoudrez avec 15 g (2 c. à table) d'amandes effilées grillées.

Infos : 8 portions, chacune contenant 284 calories, 12 g de lipides, 37 g de protéines, 8 g de glucides, 2 g de fibres alimentaires et 6 g de glucides assimilables.

Poulet à la méditerranéenne

Cette recette, aux saveurs éclatantes de la Méditerranée, est à l'origine parue dans *500 More Low-Carb Recipes*.

> 225 g (8 oz) de champignons tranchés
> 411 g (14 1/2 oz) de tomates en conserve
> 170 g (6 oz) de cœurs d'artichauts en conserve
> 70 g (2 1/2 oz) d'olives noires tranchées
> 1,5 kg (environ 3 lb) de cuisses de poulet, sans la peau
> 4 g (1 c. à table) d'assaisonnement à l'italienne
> 180 ml (3/4 tasse) de bouillon de poulet
> 5 ml (1 c. à thé) de bouillon de poulet concentré
> 60 ml (1/4 tasse) de vin blanc sec
> Guar ou xanthane

Mettez les champignons, les tomates, les artichauts et les olives dans la mijoteuse. Déposez le poulet par-dessus les légumes.

Dans un bol, mélangez l'assaisonnement à l'italienne, le bouillon, le concentré et le vin. Versez la sauce sur le poulet et les légumes. Couvrez la mijoteuse. Laissez cuire 7 heures à faible intensité.

Le temps de cuisson écoulé, épaississez un peu le jus avec le guar ou le xanthane.

Infos : 6 portions, chacune contenant 215 calories, 7 g de lipides, 28 g de protéines, 8 g de glucides, 2 g de fibres alimentaires et 6 g de glucides assimilables.

🍲 Poulet teriyaki à l'orange

Cette recette a reçu la mention officielle « Très facile et très bon ! »

455 g (1 lb) de mélange oriental de légumes surgelés, non
   dégelés
1 kg (2,2 lb) de poitrines de poulet désossées, sans la peau,
   tranchées en cubes
180 ml (3/4 tasse) de bouillon de poulet
35 g (2 c. à table) de sauce teriyaki à faible teneur en glucides
   (page 283) ou sauce commerciale teriyaki faible en glucides
5 ml (1 c. à thé) de bouillon de poulet concentré
20 g (1 c. à table) de marmelade d'oranges à faible teneur en
   sucre
1,25 ml (1/4 c. à thé) d'extrait d'orange
30 ml (2 c. à table) de jus de citron
0,5 g (1 c. à thé) de Splenda
3 g (1 c. à thé) de moutarde sèche
2,5 ml (1/2 c. à thé) de gingembre moulu
Guar ou xanthane

Mettez les légumes dans la mijoteuse et déposez-y le poulet.

Dans un bol, mélangez le bouillon de poulet, la sauce teriyaki, le bouillon concentré, la marmelade, l'extrait d'orange, le jus de citron, le Splenda, la moutarde sèche et le gingembre. Versez le mélange sur le poulet et les légumes. Couvrez la mijoteuse. Laissez cuire de 4 à 5 heures à faible intensité.

Au moment de servir, épaississez un peu la sauce avec le guar ou le xanthane.

Vous pouvez servir sur du fleur-riz (page 290). Pour les « glucidovore », optez pour le riz complet, les nouilles lo-mein ou un bon vieux spaghetti.

Infos : 6 portions, chacune contenant 222 calories, 4 g de lipides, 36 g de protéines, 7 g de glucides, 2 g de fibres alimentaires et 5 g de glucides assimilables.

Bols de poulet à la thaïe

Cette recette a remporté un énorme succès dans la famille de Maria !

>   8 cuisses de poulet désossées (1 kg ou 2,2 lb), sans la peau, coupées en cubes
>   2 gousses d'ail broyées
>   50 g (1/2 tasse) d'oignon haché
>   2 tiges de céleri tranchées
>   5 g (2 c. à thé) de racine de gingembre râpée
>   5 ml (1 c. à thé) de cinq-épices en poudre
>   2,5 g (1/2 c. à thé) de sel
>   15 ml (1 c. à table) de jus de citron
>   5 ml (1 c. à thé) de sauce piquante (facultatif)
>   825 ml (28 oz) de bouillon de poulet
>   1 chou-fleur
>   Guar ou xanthane
>   35 g (6 c. à table) d'échalotes vertes hachées
>   7 g (6 c. à table) de feuilles de coriandre fraîches, hachées

Déposez le poulet dans la mijoteuse. Couvrez-le avec l'ail, l'oignon, le céleri, le gingembre, le cinq-épices, le sel et le jus de citron.

Dans un bol, mélangez la sauce piquante et le bouillon. Versez le tout dans la mijoteuse. Couvrez la mijoteuse. Laissez cuire de 5 à 6 heures à faible intensité.

Bien, il est presque l'heure de dîner. Passez votre chou-fleur au robot culinaire pour en faire du fleur-riz. Mettez ce dernier dans un plat allant au micro-ondes muni d'un couvercle. Ajoutez 15 à 22,5 ml (2 à 3 c. à table) d'eau. Couvrez et faites cuire au micro-ondes à intensité maximale pendant 6 minutes.

Épaississez la sauce de la mijoteuse avec un peu de guar ou de xanthane pour obtenir la texture d'une crème épaisse.

Le fleur-riz est prêt ! Découvrez-le immédiatement, égouttez-le et partagez-le entre 6 bols. Disposez le mélange de poulet directement sur le fleur-riz. Parsemez d'échalotes et de feuilles de coriandre avant de servir.

Infos : 6 portions, chacune contenant 138 calories, 4 g de lipides, 20 g de protéines, 4 g de glucides, 1 g de fibres alimentaires et 3 g de glucides assimilables.

Marmite thaïe aux épices

Cette recette demande un peu plus d'efforts que certaines autres, mais les résultats le justifient amplement ! Si vous ne pouvez obtenir de sauce de poisson du Sud-Est asiatique, vous pouvez utiliser de la sauce soja en remplacement.

> 700 g (1 1/2 lb) de cuisses de poulet désossées, sans la peau
> 1 carotte moyenne
> 1 oignon moyen haché
> 1 gousse d'ail broyée
> 415 ml (14 oz) de lait de coco
> 8 g (1 c. à table) de racine de gingembre râpée
> 35 g (2 c. à table) de sauce de poisson (*nam pla* ou *nuoc mam*) ou de sauce soja
> 15 ml (1 c. à table) de jus de lime
> 1 g (2 c. à thé) de Splenda
> 2,5 ml (1/2 c. à thé) de sauce piquante
> 90 g (1/3 tasse) de beurre d'arachide naturel
> 455 g (1 lb) de crevettes décortiquées
> 75 g (1 tasse) de pois mange-tout, coupés en morceaux de 1 cm (1/2 po)
> Guar ou xanthane
> 720 g (6 tasses) de fleur-riz (page 290)
> 60 g (1/3 tasse) d'arachides hachées

Déposez le poulet dans la mijoteuse. Ajoutez la carotte, l'oignon et l'ail.

Dans un mélangeur, combinez le lait de coco, le gingembre, la sauce de poisson ou la sauce soja, le jus de lime, le Splenda, la sauce piquante et le beurre d'arachide jusqu'à l'obtention d'un mélange lisse et homogène. À l'aide d'un racloir en caoutchouc, versez la sauce sur le poulet et les légumes. Couvrez la mijoteuse. Laissez cuire 8 heures à faible intensité.

Le temps de cuisson écoulé, ajoutez les crevettes et les pois mange-tout. Couvrez la mijoteuse. Laissez cuire 10 minutes à forte intensité ou jusqu'à ce que les crevettes soient rosées.

Épaississez légèrement la sauce avec le guar ou le xanthane. Parsemez chaque portion de morceaux d'arachides. Servez sur le fleur-riz, ou sur du riz complet pour les amateurs de glucides.

Infos : 6 portions, chacune contenant 480 calories, 32 g de lipides, 33 g de protéines, 19 g de glucides, 7 g de fibres alimentaires et 12 g de glucides assimilables.

Yassa

Ce ragoût de poulet nous vient du Sénégal. Traditionnellement, ce plat est assez relevé ; alors, si vous aimez, ne vous gênez pas pour augmenter la quantité recommandée de Cayenne !

> 3 gros oignons émincés
> 6 gousses d'ail broyées
> 120 ml (1/2 tasse) de jus de citron
> 7,5 g (1 1/2 c. à thé) de sel
> 0,75 g (1/2 c. à thé) de Cayenne, ou plus selon le goût
> 3 kg (6 ½ lb) de poulet découpé en morceaux
> 60 ml (1/4 tasse) huile
> 960 g (8 tasses) de fleur-riz (page 290)

Dans la mijoteuse, mélangez les oignons, l'ail, le jus de citron, le sel et le Cayenne. Ajoutez le poulet et remuez-le de façon à ce qu'il soit bien enduit des assaisonnements. Couvrez la mijoteuse et réfrigérez le tout pour la nuit. (Si vous y pensez, c'est une bonne idée de remuer le contenu de la mijoteuse à plusieurs reprises ; cependant, je ne m'attends pas à ce que vous vous leviez au milieu de la nuit pour le faire !)

À l'aide de pinces, retirez le poulet de la marinade. Asséchez-le avec des serviettes de papier et mettez-le de côté.

Dans un grand poêlon épais, à intensité moyenne-haute, faites chauffer l'huile. Déposez-y le poulet (côté peau vers le bas) et faites-le cuire jusqu'à ce que la peau soit bien dorée. (Vous devrez procéder en plusieurs étapes, à moins que votre poêlon ne soit beaucoup plus grand que le mien !) Ne vous gênez pas pour faire dorer l'autre côté du poulet.

Remettez le poulet dans la mijoteuse contenant la marinade. Couvrez la mijoteuse. Laissez cuire de 5 à 6 heures à faible intensité.

À l'aide de pinces, retirez le poulet de la mijoteuse. Déposez-le sur un plat de service. Couvrez-le de papier d'aluminium pour le garder à la chaleur.

Transférez les oignons et le liquide de la mijoteuse au poêlon préalablement réglé à forte intensité. En remuant fréquemment, faites bouillir le mélange pour le faire réduire de moitié (même davantage). Servez le poulet, les oignons et la sauce sur du fleur-riz.

Infos : 8 portions, chacune contenant 638 calories, 46 g de lipides, 45 g de protéines, 11 g de glucides, 3 g de fibres alimentaires et 8 g de glucides assimilables.

Barbecue du Sud-Ouest

Incroyablement facile à réaliser, et incroyablement populaire !

125 g (1/2 tasse) de sauce tomate
1,5 g (1 c. à table) de Splenda
9 g (1 1/2 c. à table) de jalapeños en conserve, coupés
30 ml (2 c. à table) de jus de lime
0,75 ml (1/8 c. à thé) de mélasse noire
5 ml (1 c. à thé) de cumin moulu
1,25 ml (1/4 c. à thé) de flocons de piment de Cayenne
2 kg (4 1/2 lb) de cuisses de poulet, sans la peau

Déposez tous les ingrédients, sauf le poulet, dans la mijoteuse et remuez bien. Ajoutez le poulet dans la sauce (côté viande vers le bas). Couvrez la mijoteuse. Laissez cuire 6 heures à faible intensité.

Servez le poulet nappé de sauce.

Infos : 6 portions, chacune contenant 215 calories, 7 g de lipides, 34 g de protéines, 2 g de glucides, des traces de fibres alimentaires et 2 g de glucides assimilables.

Poulet et boulettes de pâte

Cette recette demande un peu de travail, mais elle offre un plat très réconfortant. Si vous préférez, vous pouvez la réaliser avec des restes de dinde. Dans ce cas, laissez la dinde cuite, coupée en cubes, dans la mijoteuse une heure ou deux de moins que le temps de cuisson recommandé.

> 2 carottes moyennes coupées
> 1 oignon moyen coupé grossièrement
> 2 navets moyens coupés en cubes de 1 cm (1/2 po)
> 225 g (1 1/2 tasse) de haricots verts surgelés, coupés en biais
> 225 g (8 oz) de champignons tranchés
> 700 g (1 1/2 lb) de cuisses de poulet désossées, sans la peau,
>   coupées en cubes de 2 cm (1 po)
> 360 ml (1 1/2 tasse) de bouillon de poulet
> 1,25 g (1 c. à thé) d'assaisonnement pour volaille
> 15 ml (3 c. à thé) de bouillon de poulet concentré
> 120 ml (1/2 tasse) de crème fraîche 35 % M.G.
> Guar ou xanthane
> Boulettes de pâte (voir page suivante pour la recette)

Déposez les carottes, l'oignon, les navets, les haricots verts, les champignons et le poulet dans la mijoteuse.

Dans un bol, mélangez le bouillon, l'assaisonnement pour volaille et le concentré. Versez le mélange sur le poulet et les légumes. Couvrez la mijoteuse. Laissez cuire de 6 à 7 heures à faible intensité.

Le temps de cuisson écoulé, ajoutez la crème et épaississez la sauce (pour obtenir une belle consistance) avec le guar ou le xanthane. Salez et poivrez au goût. Couvrez la mijoteuse. Réglez-la à forte intensité.

Pendant que la mijoteuse réchauffe (il faudra au moins
30 minutes), préparez vos boulettes de pâte, en arrêtant la recette
juste avant d'ajouter le liquide. Lorsque la sauce aura atteint le
point d'ébullition dans la mijoteuse, ajoutez-y le babeurre et
déposez la pâte à biscuits par cuillerées sur la surface du poulet et
de la sauce. Couvrir de nouveau la mijoteuse et Laissez cuire de
25 à 30 minutes de plus.

Infos : 8 portions, chacune contenant 417 calories, 25 g de lipides,
36 g de protéines, 14 g de glucides, 4 g de fibres alimentaires et
10 g de glucides assimilables. (L'analyse nutritionnelle tient
compte des boulettes de pâte.)

Boulettes de pâte

N'hésitez pas à utiliser ces boulettes de pâte avec d'autres plats de
viande en sauce ! (Il faut faire cuire les boulettes de pâte dans la sauce
bouillante.)

> 110 g (3/4 tasse) d'amandes moulues
> 120 g (1/2 tasse) de poudre de protéine de riz (Vous en
>   trouverez à votre marché d'aliments naturels ; sinon,
>   demandez qu'on la commande pour vous. J'utilise la marque
>   NutriBiotic.)
> 28 g (1/4 tasse) de gluten de blé
> 28 g (2 c. à table) de beurre
> 30 ml (2 c. à table) d'huile de coco
> 2,5 g (1/2 c. à thé) de sel
> 10 ml (2 c. à thé) de poudre à pâte
> 2,5 ml (1/2 c. à thé) de bicarbonate de soude
> 180 ml (3/4 tasse) de babeurre

Déposez tous les ingrédients, sauf le babeurre, dans un robot
culinaire muni d'une lame en « S ». Donnez quelques

« impulsions » pour couper le beurre. (Vous voulez qu'il se répartisse également dans les ingrédients secs.) Mettez le mélange dans un bol.

Vérifiez que votre sauce a atteint le point d'ébullition. (Si ce n'est pas le cas, prenez une tasse de thé et patientez !) Versez maintenant le babeurre sur les ingrédients secs en l'incorporant avec quelques impulsions rapides. (Ne mélangez pas trop ; vous voulez seulement vous assurer que la pâte soit bien humide.) Cela vous donnera une pâte souple. Déposez-la par cuillerées sur la sauce bouillante et couvrez le pot. Laissez cuire de 25 à 30 minutes.

> NOTE : Vous pouvez réduire vos amandes en poudre vous-même ou acheter de la poudre déjà préparée.

Infos : 12 portions, chacune contenant 153 calories, 10 g de lipides, 14 g de protéines, 4 g de glucides, 1 g de fibres alimentaires et 3 g de glucides assimilables.

Poulet avec sauce crémeuse au raifort

Il ne faut pas penser que ce plat est très fort parce qu'il contient du raifort, sa sauce est veloutée, subtile et plaira à tous les membres de la famille.

> 2 kg (4 1/2 lb) de poulet découpé en morceaux
> 14 g (1 c. à table) de beurre
> 15 ml (1 c. à table) d'huile d'olive
> 180 ml (3/4 tasse) de bouillon de poulet
> 7,5 ml (1 1/2 c. à thé) de bouillon de poulet concentré
> 15 g (1 c. à table) de raifort préparé
> 115 g (4 oz) de fromage à la crème, coupé en gros morceaux
> 60 ml (1/4 tasse) de crème fraîche 35 % M.G.
> Guar ou xanthane (facultatif)

Dans un grand poêlon épais, à intensité moyenne-haute, faites dorer le poulet dans le beurre et l'huile. Puis, transférez-le dans la mijoteuse.

Dans un bol, mélangez le bouillon, le concentré et le raifort. Versez le mélange sur le poulet. Couvrez la mijoteuse. Laissez cuire 6 heures à faible intensité.

Le temps de cuisson écoulé, retirez le poulet à l'aide de pinces et déposez-le sur un plat de service. Faites fondre le fromage à la crème dans la sauce de la mijoteuse. Ajoutez la crème. Au besoin, épaississez la sauce avec le guar ou le xanthane. Salez et poivrez au goût.

Ce plat est merveilleux accompagné de fauxtates (page 291) et de haricots verts.

Infos : 8 portions, chacune contenant 442 calories, 34 g de lipides, 30 g de protéines, 1 g de glucides, des traces de fibres alimentaires et 1 g de glucides assimilables.

Poulet avec sauce crémeuse à l'orange

2 kg (4 1/2 lb) de cuisses de poulet, sans la peau
45 ml (3 c. à table) d'huile
45 ml (3 c. à table) de brandy
120 ml (1/2 tasse) de vinaigre de vin blanc
120 ml (1/2 tasse) de jus de citron
2,5 ml (1/2 c. à thé) d'extrait d'orange
5 ml (1 c. à thé) de zeste d'orange
8 g (1/3 tasse) de Splenda
8 échalotes vertes émincées
170 g (6 oz) de fromage à la crème allégé, coupé en gros
   morceaux
Guar ou xanthane (facultatif)

Dans un grand poêlon épais, à intensité moyenne-haute, faites
dorer le poulet dans l'huile. Puis, transférez-le dans la mijoteuse.

Dans un bol, mélangez le brandy, le vinaigre, le jus de citron,
l'extrait d'orange, le zeste d'orange et le Splenda. Versez le
mélange sur le poulet. Couvrez la mijoteuse. Laissez cuire
6 heures à faible intensité.

Le temps de cuisson écoulé, déposez le poulet dans un plat de
service. Ajoutez les échalotes à la sauce de la mijoteuse, puis le
fromage à la crème. Remuez jusqu'à ce que ce dernier soit fondu.
Au besoin, épaississez la sauce avec le guar ou le xanthane. Salez
et poivrez au goût. Nappez le poulet de sauce et servez.

Le fleur-riz (page 290), sous une forme ou une autre, est le
compagnon idéal pour ce plat. Ajoutez une grosse salade verte et
le tour est joué !

Infos : 8 portions, chacune contenant 359 calories, 20 g de lipides,
35 g de protéines, 5 g de glucides, des traces de fibres alimentaires
et 5 g de glucides assimilables.

Poulet à la toscane

Cette recette italienne est fabuleuse !

2 kg (4 1/2 lb) de cuisses de poulet, sans la peau
15 ml (1 c. à table) d'huile d'olive
50 g (1/2 tasse) d'oignon haché
1 poivron rouge, coupé en lanières
1 poivron vert, coupé en lanières
425 g (15 oz) de fèves de soja noir en conserve, égouttées
411 g (14 1/2 oz) de tomates en conserve broyées
120 ml (1/2 tasse) de vin blanc sec
5 ml (1 c. à thé) d'origan séché
1 gousse d'ail broyée
5 ml (1 c. à thé) de bouillon de poulet concentré

Dans un grand poêlon épais, à intensité moyenne-haute, faites dorer le poulet dans l'huile. Puis, transférez-le dans la mijoteuse.

Pendant que vous faites sauter le poulet, mettez l'oignon, les poivrons et les fèves dans la mijoteuse. Déposez le poulet sur les légumes et les fèves.

Dans un bol, mélangez les tomates, le vin, l'origan, l'ail et le bouillon. Versez ce mélange sur le poulet. Couvrez la mijoteuse. Laissez cuire de 6 à 7 heures à faible intensité. Salez et poivrez au goût.

Infos : 8 portions, chacune contenant 258 calories, 9 g de lipides, 31 g de protéines, 10 g de glucides, 5 g de fibres alimentaires et 5 g de glucides assimilables.

Poulet « J'ai une vie ! »

Cette recette tirée de *15-Minutes Low-Carb Recipes* est succulente. Les saveurs sont à la fois douces, acidulées et fruitées.

> 1,5 à 2 kg (3 1/2 à 4 1/2 lb) de morceaux de poulet (avec les os) (J'utilise des pattes et des cuisses, mais un poulet entier découpé conviendrait parfaitement.)
> 225 g (8 oz) de champignons tranchés
> 45 ml (3 c. à table) de jus d'orange
> Zeste râpé d'une orange
> 15 ml (1 c. à table) de bouillon de poulet concentré
> 1 g (1/2 c. à thé) de poivre
> 225 g (8 oz) de sauce tomate en conserve
> 30 ml (2 c. à table) de sauce soja
> 3 g (2 c. à table) de Splenda
> 2,5 ml (1/2 c. à thé) de mélasse noire
> 10 ml (2 c. à thé) d'ail haché ou 4 gousses d'ail broyées
> 1 g (1 c. à thé) de thym séché
> Guar ou xanthane

Après avoir enlevé la peau et les boules de gras du poulet, déposez ce dernier dans la mijoteuse. (Vous pouvez gagner du temps en achetant un poulet dont la peau est déjà enlevée, mais c'est plus cher.) Placez les champignons sur le poulet.

Dans un bol, mélangez le jus d'orange, le zeste d'orange, le bouillon, le poivre, la sauce tomate, la sauce soja, le Splenda, la mélasse, l'ail et le thym. Versez ce mélange sur le poulet et les champignons. Couvrez la mijoteuse. Laissez cuire de 5 à 6 heures à faible intensité.

Le temps de cuisson écoulé, retirez le poulet et déposez-le sur un plat de service. Utilisez le guar ou le xanthane pour épaissir la sauce dans la mijoteuse. Servez la sauce avec le poulet et les légumes.

Infos : 6 portions, chacune contenant 424 calories, 27 g de lipides, 35 g de protéines, 7 g de glucides, 1 g de fibres alimentaires et 6 g de glucides assimilables. (Cette analyse nutritionnelle suppose que vous mangiez la totalité de la sauce.)

Poulet et légumes à la bière

Ce plat contient des légumes en abondance. Vous n'avez besoin de rien d'autre comme accompagnement, sauf peut-être un peu de pain pour les « glucidovores » de la famille. Et la sauce est d'une belle couleur appétissante !

225 g (8 oz) de navets (environ deux navets de la taille d'une balle de tennis), pelés et coupés en gros morceaux
2 branches de céleri coupées
1 carotte moyenne coupée
1/2 oignon moyen émincé
15 ml (1 c. à table) de bouillon de poulet concentré
1,25 à 1,5 kg (2 1/2 à 3 1/2 lb) de poulet coupé en morceaux (J'utilise des quartiers de patte et de cuisse, coupés à la jointure.)
360 ml (12 oz) de bière légère
411 g (14 1/2 oz) de tomates en conserve avec piments verts
Guar ou xanthane (facultatif)

Mettez les navets, le céleri, la carotte, l'oignon, le bouillon et le poulet dans la mijoteuse. Versez la bière et les tomates sur le tout. Couvrez la mijoteuse. Laissez cuire de 8 à 9 heures à faible intensité.

Le temps de cuisson écoulé, retirez le poulet à l'aide de pinces et déposez-le sur un plat de service. En utilisant une cuillère à égoutter, retirez les légumes. Mettez 360 ml (1 1/2 tasse) de ces légumes dans un mélangeur et disposez le reste autour du poulet sur le plat. Prélevez 1 1/2 à 2 tasses (360 à 480 ml) du liquide de la mijoteuse et versez-le dans le mélangeur avec les légumes. Broyez les légumes et le bouillon. Au besoin, épaississez un peu plus le mélange avec le guar ou le xanthane. Salez et poivrez au goût. Servez le poulet avec la sauce et les légumes.

Infos : 5 portions, chacune contenant 415 calories, 26 g de lipides, 30 g de protéines, 10 g de glucides, 2 g de fibres alimentaires et 8 g de glucides assimilables.

Poulet à la guadeloupéenne

Même si elle n'est pas tout à fait authentique, cette recette emprunte ses saveurs à la cuisine créole des Caraïbes.

1,75 kg (3 3/4 lb) d'un poulet en morceaux (ou seulement les parties que vous préférez)
1/2 oignon moyen, haché
10 ml (2 c. à thé) de piment de la Jamaïque moulu
1 g (1 c. à thé) de thym séché
60 ml (1/4 tasse) de jus de citron
411 g (14 1/2 oz) de tomates en conserve avec piments verts
45 ml (1 1/2 oz) de rhum brun
Guar ou xanthane

Mettez le poulet, l'oignon, le piment de la Jamaïque, le thym, le jus de citron, les tomates et le rhum dans la mijoteuse. Couvrez la mijoteuse. Laissez cuire de 5 à 6 heures à faible intensité.

Retirez le poulet soigneusement, sinon il se détachera des os !
Épaississez la sauce avec le guar ou le xanthane. Salez et poivrez
au goût. Nappez le poulet de sauce et servez.

Infos : 5 portions, chacune contenant 541 calories, 36 g de lipides,
41 g de protéines, 7 g de glucides, 1 g de fibres alimentaires et 6 g
de glucides assimilables.

Ragoût de poulet à l'éthiopienne

La cuisson à la mijoteuse n'est pas vraiment authentique, mais les
saveurs proviennent d'une véritable recette éthiopienne — sauf que
les Éthiopiens utiliseraient davantage de Cayenne ! Si vous aimez vos
plats piquants, augmentez la quantité de cet ingrédient.

> 1,5 kg (environ 3 lb) de poulet en morceaux
> 1 oignon moyen haché
> 1,5 g (1 c. à thé) de Cayenne
> 3 g (1 c. à thé) de paprika
> 1 g (1/2 c. à thé) de poivre
> 1,25 g (1/2 c. à thé) de racine de gingembre râpée
> 30 ml (2 c. à table) de jus de citron
> 120 ml (1/2 tasse) d'eau
> Guar ou xanthane

Déposez le poulet, l'oignon, le Cayenne, le paprika, le poivre, le
gingembre, le jus de citron et l'eau dans la mijoteuse. Couvrez la
mijoteuse. Laissez cuire de 5 à 6 heures à faible intensité.

Si vous cherchez une véritable apparence de ragoût, séparez la
viande des os lorsque cette dernière sera cuite (ce sera très facile),
puis épaississez la sauce avec le guar ou le xanthane et remettez le
poulet dans le liquide. Autrement, nappez le poulet de sauce et
servez. C'est à vous de voir !

Infos : 5 portions, chacune contenant 437 calories, 31 g de lipides, 34 g de protéines, 3 g de glucides, 1 g de fibres alimentaires et 2 g de glucides assimilables.

Rôti de dinde aux canneberges et à la pêche

Cette sauce fruitée se marie parfaitement bien au rôti de dinde !

> 1,5 kg (environ 3 lb) de rôti de dinde
> 30 ml (2 c. à table) d'huile
> 50 g (1/2 tasse) d'oignon haché
> 225 g (8 oz) de canneberges
> 6 g (1/4 tasse) de Splenda
> 45 g (3 c. à table) de moutarde épicée
> 1,25 ml (1/4 c. à thé) de flocons de piments de Cayenne
> 1 pêche pelée et coupée

Si, comme moi, vous utilisez un rôti de dinde de la marque Butterball, vous aurez un mélange de viandes blanche et brune qui sera désossé et enveloppé dans un filet et auquel on aura donné une forme ovale. Laissez le mélange de viandes dans le filet pendant la cuisson pour éviter qu'il ne se défasse.

Dans un grand poêlon épais, chauffez l'huile et faites dorer la dinde sur tous les côtés. Transférez la dinde dans la mijoteuse.

Dans un mélangeur ou un robot culinaire muni d'une lame en « S », combinez l'oignon, les canneberges, le Splenda, la moutarde, le piment et la pêche. Réduisez le mélange en une purée épaisse et versez-le sur la dinde. Couvrez la mijoteuse. Laissez cuire de 6 à 7 heures à faible intensité.

Retirez la dinde et déposez-la sur un plat de service. Remuez la sauce et versez-la dans une saucière. Vous pouvez enlever vous-même le filet enveloppant la dinde avant de la couper ; toutefois, je trouve plus pratique de laisser les convives se découper une part de dinde à l'aide d'un bon couteau pointu et d'enlever eux-mêmes les bouts de filet restants.

Infos : 8 portions, chacune contenant 255 calories, 8 g de lipides, 31 g de protéines, 4 g de glucides, 1 g de fibres alimentaires et 3 g de glucides assimilables.

Ailes de dinde braisées aux champignons

Les ailes sont ma partie préférée de la dinde pour la cuisson à la mijoteuse. Elles y entrent facilement, donnent de bonnes portions individuelles et ont bon goût !

1,75 kg (3 3/4 lb) d'ailes de dinde
60 ml (1/4 tasse) d'huile d'olive
120 ml (1/2 tasse) de bouillon de poulet
5 ml (1 c. à thé) de bouillon de poulet concentré
1,25 g (1 c. à thé) d'assaisonnement pour volaille
16 g (1 c. à table) de pâte de tomate
100 g (1/2 tasse) de champignons tranchés
1/2 oignon moyen émincé
120 ml (1/2 tasse) de crème sure

Dans un grand poêlon épais, à intensité moyenne-haute, faites sauter la dinde dans l'huile chaude. Transférez la dinde dans la mijoteuse.

Dans un bol, mélangez le bouillon, le concentré, l'assaisonnement pour volaille et la pâte de tomate. Versez le mélange sur la dinde. Ajoutez les champignons et l'oignon. Couvrez la mijoteuse. Laissez cuire de 6 à 7 heures à faible intensité.

Le temps de cuisson écoulé, retirez la dinde de la mijoteuse à l'aide de pinces. Incorporez la crème sure dans la sauce et nappez la dinde du mélange. Servez.

Infos : 3 portions, chacune contenant 555 calories, 40 g de lipides, 41 g de protéines, 6 g de glucides, 1 g de fibres alimentaires et 5 g de glucides assimilables.

Ailes de dinde barbecue

Facile !

> 1 kg (2,2 lb) d'ailes de dinde
> 45 ml (3 c. à table) d'huile d'olive
> 120 ml (1/2 tasse) de bouillon de poulet
> 15 ml (3 c. à thé) de vinaigrette de style ranch
> 120 ml (1/2 tasse) de sauce barbecue Kansas City de Dana
> (page 279) ou de sauce barbecue à faible teneur en glucides
> du commerce

Coupez les ailes de dinde dans les jointures et éliminez les bouts pointus.

Dans un grand poêlon épais, faites dorer la dinde dans l'huile chaude. Déposez la dinde dans la mijoteuse.

Dans un bol, mélangez le bouillon, la vinaigrette et la sauce barbecue. Versez le mélange sur les ailes. Couvrez la mijoteuse. Laissez cuire de 6 à 7 heures à faible intensité.

Infos : 4 portions, chacune contenant 246 calories, 17 g de lipides, 18 g de protéines, 5 g de glucides, 0 g de fibres alimentaires et 5 g de glucides assimilables.

Pain de viande à la dinde aux saveurs thaïes

La dinde hachée est bon marché, faible en glucides et en calories, mais peut-être un peu fade. Alors, donnez-lui du mordant en ajoutant des saveurs thaïes !

1 kg (2,2 lb) de dinde hachée
1 oignon moyen, haché
130 g (4 1/2 oz) de champignons tranchés en conserve, égouttés
4 gousses d'ail broyées
30 ml (2 c. à table) de jus de citron
60 ml (4 c. à table) de jus de lime (à diviser en deux)
20 ml (4 c. à thé) de pâte de chili
24 g (3 c. à table) de racine de gingembre râpée
30 g (1 1/2 c. à table) de sauce au poisson
22,5 ml (1 1/2 c. à table) de sauce soja
3 g (1 1/2 c. à thé) de poivre
60 g (1/2 tasse) de couenne de porc émiettée (passez la couenne dans votre robot culinaire)
10 g (1/2 tasse) de feuilles de coriandre fraîches, hachées
120 g (1/2 tasse) de mayonnaise

Déposez la dinde dans un grand bol.

Dans le robot culinaire, combinez l'oignon, les champignons et l'ail. Placez le mélange dans le bol contenant la dinde.

Ajoutez-y le jus de citron, 30 ml (2 c. à table) du jus de lime, la pâte de chili, le gingembre, la sauce au poisson, la sauce soja, le poivre, la couenne émiettée et la coriandre. Mélangez le tout avec vos mains — préalablement lavées — jusqu'à l'obtention d'une consistance homogène.

Vaporisez une marguerite ou un panier pour cuisson à la vapeur d'un antiadhésif pour la cuisson et placez cet accessoire dans la mijoteuse. Ajoutez une tasse d'eau sous le support. Si les trous du support sont trop grands, couvrir ce dernier d'une feuille de papier d'aluminium que vous percerez à l'aide d'une fourchette. Prenez deux carrés de 45 cm (18 po) de papier d'aluminium, pliez-les en rubans d'environ 5 cm (2 po) de large et placez-les de façon à former une croix à travers le support, en faisant monter les extrémités le long de la paroi de la mijoteuse. (Vous êtes en train de fabriquer un outil pour vous aider à sortir le pain de viande de la mijoteuse.) Déposez le mélange de viande sur le support en formant un pain en forme de dôme. Couvrez la mijoteuse. Laissez cuire 6 heures à faible intensité.

Le temps de cuisson écoulé, utilisez les bandes de papier d'aluminium pour soulever le pain et déposez-le dans un plat de service.

Dans un bol, mélangez la mayonnaise et les 30 ml (2 c. à table) restants de jus de lime. Tranchez le pain de viande. Servez les portions avec de la mayonnaise à la lime.

Infos : 8 portions, chacune contenant 327 calories, 24 g de lipides, 25 g de protéines, 5 g de glucides, 1 g de fibres alimentaires et 4 g de glucides assimilables.

☕ Cuisses de dinde aux chipotles

Ce plat dégage les riches parfums d'épices du Sud-Ouest américain.

> 3 pilons de dinde, soit environ 1 kg (2,2 lb) de viande
> 7,5 ml (1 1/2 c. à thé) de cumin
> 2 g (1 c. à thé) de poudre de chili
> 5 ml (1 c. à thé) de sauge moulue
> 5 ml (1 c. à thé) d'ail haché ou 2 gousses d'ail broyées
> 2,5 ml (1/2 c. à thé) de flocons de piments de Cayenne
> 1,25 ml (1/4 c. à thé) de curcuma
> 1 ou 2 chipotles en conserve dans une sauce adobo, plus 5 à
>   10 ml (1 à 2 c. à thé) de la sauce où ils ont macéré
> 225 g (8 oz) de sauce tomate
> 16 g (1 c. à table) de sauce Worcestershire
> Guar ou xanthane
> 60 g (6 c. à table) de queso quesadilla* ou de fromage
>   monterey Jack râpé (facultatif)

Déposez la dinde dans la mijoteuse. (Si vous pouvez faire entrer plus de 3 pilons dans votre mijoteuse, n'hésitez pas ; avec la mienne, un format de 3 litres ou 12 tasses, je ne le peux pas.)

Dans un mélangeur, combinez le cumin, la poudre de chili, la sauge, l'ail, le piment broyé, le curcuma, les chipotles, les sauces tomate et Worcestershire. Brassez le tout pendant une minute. Versez le mélange sur la dinde. Couvrez la mijoteuse. Laissez cuire de 5 à 6 heures à faible intensité.

Le temps de cuisson écoulé, déposez les pilons de dinde dans un plat de service. Épaississez la sauce avec le guar ou le xanthane et versez cette dernière sur la dinde. Au goût, saupoudrez 20 g (2 c. à table) de fromage râpé sur chaque pilon et laissez-le fondre pendant une minute ou deux avant de servir les portions.

* Doux fromage mexicain (blanc)

Infos : 3 portions, chacune contenant 451 calories, 22 g de lipides, 54 g de protéines, 9 g de glucides, 2 g de fibres alimentaires et 7 g de glucides assimilables. (L'analyse nutritionnelle est fonction de la grosseur des cuisses utilisées.)

Dinde en sauce aux champignons

1,5 kg (environ 3 lb) de poitrine de dinde (une seule pièce et non en côtelettes minces)
28 g (2 c. à table) de beurre
16 g (1/4 tasse) de persil frais haché
10 ml (2 c. à thé) d'estragon séché
5 g (1/2 c. à thé) de sel ou de Vege-Sal
0,5 g (1/4 c. à thé) de poivre
100 g (1/2 tasse) de champignons tranchés
120 ml (1/2 tasse) de vin blanc sec
5 ml (1 c. à thé) de bouillon de poulet concentré
Guar ou xanthane (facultatif)

Dans un grand poêlon épais, faites sauter la poitrine de dinde dans le beurre jusqu'à ce qu'elle soit bien dorée. Puis, déposez-la dans la mijoteuse.

Saupoudrez le persil, l'estragon, le sel ou le Vege-Sal et le poivre sur la pièce de dinde. Disposez les champignons sur le tout.

Dans un bol, mélangez le vin et le bouillon. Versez le mélange sur la dinde. Couvrez la mijoteuse. Laissez cuire de 7 à 8 heures à faible intensité.

Le temps de cuisson écoulé, déposez la dinde dans un plat de service. Mettez environ la moitié des champignons dans un mélangeur et ajoutez-y le liquide de la mijoteuse. Mélangez jusqu'à ce que les champignons soient réduits en purée.

Incorporez le reste des champignons dans une saucière, puis ajoutez le liquide que vous épaissirez davantage avec le guar ou le xanthane, si nécessaire.

Infos : 8 portions, chacune contenant 281 calories, 14 g de lipides, 34 g de protéines, 1 g de glucides, des traces de fibres alimentaires et 1 g de glucides assimilables.

CHAPITRE QUATRE

Le bœuf

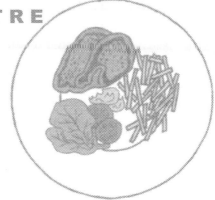

Vous êtes fatigué des steaks et des hamburgers ? Utilisez la mijoteuse pour mitonner des ragoûts de bœuf, des rôtis braisés, des chilis et d'autres classiques culinaires ; vous obtiendrez ainsi de succulents plats qui vous réconforteront à votre retour à la maison.

Bouilli de la Nouvelle-Angleterre

Voici notre repas familial traditionnel de la Saint-Patrick. Il s'agit d'un plat unique, simple à préparer, qui sera des plus satisfaisants lors des froides soirées. Si la recette est simple, elle demande néanmoins un long temps de cuisson ; alors préparez-la à l'avance. Si vous avez des « glucidovores » dans la famille, vous pouvez ajouter quelques petites pommes de terre rouges en chemise.

> 6 petits navets pelés, coupés en quartiers
> 2 grandes branches de céleri, coupées grossièrement
> 2 oignons moyens, coupés en gros morceaux
> 1,5 kg (environ 3 lb) de corned-beef
> 1/2 tête de chou, coupée en pointes
> Moutarde brune épicée
> Raifort
> Beurre

Déposez les navets, le céleri et les oignons dans la mijoteuse. Placez le corned-beef sur les légumes et ajoutez de l'eau pour couvrir le tout. Vous trouverez un paquet contenant des assaisonnements avec le corned-beef ; videz-le dans la mijoteuse. Couvrez la mijoteuse. Laissez cuire de 10 à 12 heures à faible intensité. (Vous pouvez diminuer le temps de cuisson (6 à 8 heures) si vous réglez la mijoteuse à forte intensité, mais le réglage recommandé donne une viande plus tendre.)

Le temps de cuisson écoulé, retirez le corned-beef de la mijoteuse à l'aide d'une fourchette ou de pinces. Remettez le couvercle sur la mijoteuse pour conserver la chaleur. Réservez le bœuf dans un plat de service au chaud. Placez le chou dans la mijoteuse avec les autres légumes. Couvrez la mijoteuse de nouveau. Laissez cuire 1/2 heure à forte intensité.

À l'aide d'une cuillère à égoutter, retirez les légumes de la mijoteuse et disposez-les autour du corned-beef. Servez avec de la moutarde et du raifort comme condiments pour le bœuf et avec du beurre pour les légumes.

Infos : 8 portions, chacune contenant 372 calories, 25 g de lipides, 26 g de protéines, 9 g de glucides, 2 g de fibres alimentaires et 7 g de glucides assimilables.

Corned-beef glacé à l'érable et ses légumes

Ce plat est un tantinet moins traditionnel mais tout aussi délicieux que le bouilli de la Nouvelle-Angleterre (page précédente). Le sirop à crêpes et la moutarde, ainsi que le glaçage de dernière minute sous le gril, lui donnent une allure alléchante.

> 6 navets moyens, coupés en quartiers
> 2 carottes moyennes, coupées grossièrement
> 1 oignon moyen, coupé en gros morceaux
> 2,5 kg (5 lb) de corned-beef (poitrine) en conserve
> 480 ml (2 tasses) d'eau
> 1 chou moyen coupé en pointes
> 30 g (3 c. à table) de sirop à crêpes (sans sucre)
> 15 g (1 c. à table) de moutarde brune
> Raifort

Déposez les navets, les carottes et l'oignon dans la mijoteuse. Déposez le corned-beef sur les légumes. Saupoudrez le paquet d'assaisonnement qui accompagne le corned-beef et versez de l'eau pour immerger le tout. Couvrez la mijoteuse. Laissez cuire de 9 à 10 heures à faible intensité, voire un peu plus !

Le temps de cuisson écoulé, déposez soigneusement le bœuf sur un plat de rôtissage (le gras sur le dessus). Utilisez une cuillère à égoutter pour recueillir les légumes et disposez-les dans un plat de service ; couvrez et tenez au chaud.

Déposez le chou dans la mijoteuse et laissez-le cuire à forte intensité de 15 à 20 minutes ou jusqu'à ce qu'il soit tendre. (Vous pouvez aussi verser le liquide du pot dans une casserole et faire cuire le chou sur votre cuisinière, ce qui est plus rapide.)

Tandis que le chou cuit, mélangez le sirop à crêpes et la moutarde. Étendez le mélange sur le dessus du bœuf. Quand le chou est presque cuit, passez le bœuf sous le gril de 2 à 3 minutes, le temps qu'il soit glacé.

Déposez le chou sur le plat de service à l'aide d'une cuillère à égoutter. Tranchez le bœuf. Servez immédiatement les portions. Accompagnez-les de raifort et de moutarde.

Infos : 12 portions, chacune contenant 416 calories, 28 g de lipides, 29 g de protéines, 10 g de glucides, 3 g de fibres alimentaires et 7 g de glucides assimilables. (Ces valeurs nutritionnelles ne tiennent pas compte des polyols contenus dans le sirop à crêpes.)

Bouts de côtes de bœuf à l'asiatique

Vous trouverez la sauce aux haricots noirs dans les marchés asiatiques ou dans le comptoir des produits internationaux de votre super-marché. Vous en utiliserez seulement un peu à la fois, mais elle se conserve longtemps au réfrigérateur et donne une saveur authentique aux plats asiatiques.

> 3 kg (6 1/2 lb) de bouts de côtes de bœuf
> 45 ml (3 c. à table) d'huile
> 1 branche de céleri coupée
> 30 g (1/4 tasse) de carotte râpée
> 50 g (1/2 tasse) d'oignon haché
> 16 g (2 c. à table) de racine de gingembre râpée
> 30 ml (6 c. à thé) de sauce chinoise aux haricots noirs
> 15 ml (3 c. à thé) de pâte de piments et d'ail
> 3 gousses d'ail broyées
> 60 ml (1/4 tasse) de sauce soja
> 240 ml (1 tasse) de vin rouge sec
> 480 ml (2 tasses) de bouillon de bœuf
> 5 ml (1 c. à thé) de cinq-épices
> 1,5 g (1 c. à table) de Splenda
> Guar ou xanthane

Dans un grand poêlon épais, faites brunir les bouts de côtes dans l'huile, puis déposez-les dans la mijoteuse.

Mettez le céleri, la carotte et l'oignon dans le poêlon. Faites-les sauter à feu moyen-vif jusqu'à ce qu'ils ramollissent et commencent à brunir. Ajoutez la racine de gingembre, la sauce aux haricots noirs, la pâte de piments et d'ail, et l'ail. Faites sauter de nouveau pendant une ou deux minutes. Incorporez la sauce soja, le vin, le bouillon, le cinq-épices et le Splenda. Remuez bien.

Versez le mélange sur les bouts de côtes. Couvrez la mijoteuse. Laissez cuire de 6 à 7 heures à faible intensité.

Le temps de cuisson écoulé, disposez les bouts de côtes dans un plat de service et, à l'aide d'une cuillère à égoutter, mettez les légumes dans le mélangeur. Ajoutez 480 ml (2 tasses) du liquide et actionnez la machine jusqu'à ce que les légumes soient réduits en purée. Épaississez la sauce avec le guar ou le xanthane jusqu'à l'obtention d'une consistance crémeuse. Servez cette sauce avec les bouts de côtes.

Infos : 12 portions, chacune contenant 948 calories, 86 g de lipides, 35 g de protéines, 3 g de glucides, des traces de fibres alimentaires et 3 g de glucides assimilables.

Rôti braisé au vinaigre balsamique

Le vinaigre balsamique et le romarin ajoutent une touche italienne à ce rôti braisé.

> 1,75 kg (3 3/4 lb) de ronde de bœuf parée de son gras
> 30 ml (2 c. à table) d'huile d'olive
> 1 gros oignon tranché en rondelles
> 2 gousses d'ail broyées
> 240 ml (1 tasse) de bouillon de bœuf
> 5 ml (1 c. à thé) de bouillon de bœuf concentré
> 60 ml (1/4 tasse) de vinaigre balsamique
> 2,5 ml (1/2 c. à thé) de romarin moulu
> 260 g (1 tasse) de tomates en conserve coupées en dés
> Guar ou xanthane

Dans un grand poêlon épais, saisissez le bœuf dans l'huile jusqu'à ce qu'il soit bruni. Puis, déposez-le dans la mijoteuse. Mettez l'oignon et l'ail autour du bœuf.

Dans un bol, mélangez le bouillon, le concentré, le vinaigre et le romarin. Versez le mélange sur le bœuf. Déposez les tomates sur le bœuf. Poivrez. Couvrez la mijoteuse. Laissez cuire 8 heures à faible intensité.

Le temps de cuisson écoulé, transférez le bœuf à l'aide de pinces dans un plat de service. À l'aide une cuillère à égoutter, prélevez les oignons et disposez-les autour du rôti. Épaississez le jus dans la mijoteuse avec le guar ou le xanthane. Servez la sauce avec le bœuf.

Infos : 8 portions, chacune contenant 451 calories, 29 g de lipides, 42 g de protéines, 5 g de glucides, des traces de fibres alimentaires et 5 g de glucides assimilables.

Rôti braisé bavarois

Je crois que les fauxtates (page 291) et le chou cuit constituent les accompagnements idéaux pour ce plat bavarois.

> 1 gros oignon rouge, coupé en rondelles de 2,5 cm (1 po)
>   d'épaisseur
> 3 g (2 c. à table) de Splenda
> 1,25 ml (1/4 c. à thé) de mélasse noire
> 30 ml (2 c. à table) de vinaigre de cidre
> 5 g (1 c. à thé) de sel
> 5 ml (1 c. à thé) de bouillon de bœuf concentré
> 1,25 kg (2 1/2 lb) de ronde de bœuf, parée et coupée en cubes
> Guar ou xanthane (facultatif)

Déposez l'oignon dans la mijoteuse.

Dans un bol, mélangez le Splenda, la mélasse, le vinaigre, le sel et le bouillon. Versez ce mélange sur l'oignon dans la mijoteuse.

Puis, déposez le bœuf sur l'oignon. Couvrez la mijoteuse. Laissez cuire de 7 à 8 heures à faible intensité.

Au besoin, une fois le temps de cuisson écoulé, épaississez le bouillon avec le guar ou le xanthane.

Infos : 8 portions, chacune contenant 297 calories, 18 g de lipides, 29 g de protéines, 2 g de glucides, des traces de fibres alimentaires et 2 g de glucides assimilables.

Bœuf et brocoli

Ce plat ne ressemble pas exactement à un sauté, mais il a un bon goût chinois et il demande beaucoup moins de travail.

> 455 g (1 lb) de ronde de bœuf coupée en cubes de 2,5 cm (1 po) d'épaisseur
> 110 g (4 oz) de champignons tranchés en conserve, égouttés
> 1 oignon moyen coupé en quartiers
> 120 ml (1/2 tasse) de bouillon de bœuf
> 5 ml (1 c. à thé) de bouillon de bœuf concentré
> 1,5 g (1 c. à table) de Splenda
> 2,5 g (1 c. à thé) de racine de gingembre râpée
> 15 ml (1 c. à table) de xérès
> 30 ml (2 c. à table) de sauce soja
> 1 gousse d'ail broyée
> 5 ml (1 c. à thé) d'huile de sésame foncée
> 7 g (1 c. à table) de graines de sésame
> 500 g (2 tasses) de fleurs de brocoli surgelées
> Guar ou xanthane

Combinez le bœuf, les champignons, l'oignon, le bouillon, le concentré, le Splenda, le gingembre, le xérès, la sauce soja, l'ail et l'huile de sésame dans la mijoteuse. Saupoudrez les graines de sésame sur ce mélange. Couvrez la mijoteuse. Laissez cuire de 8 à 10 heures à faible intensité.

Le temps de cuisson écoulé, ajoutez le brocoli à la mijoteuse. Remettez le couvercle et laissez cuire 30 minutes de plus. Épaississez un peu la sauce avec le guar ou le xanthane.

Au goût, servez sur du fleur-riz (page 290).

Infos : 4 portions, chacune contenant 314 calories, 17 g de lipides, 29 g de protéines, 10 g de glucides, 4 g de fibres alimentaires et 6 g de glucides assimilables.

Carbonade

Très français !

>1 kg (2,2 lb) de ronde de bœuf coupée en cubes de 2,5 cm (1 po)
>30 ml (2 c. à table) d'huile d'olive
>1 gros oignon émincé
>2 carottes moyennes coupées en rondelles de 2,5 cm (1 po) d'épaisseur
>2 navets coupés en cubes
>360 ml (12 oz) de bière légère
>60 ml (1/4 tasse) de vinaigre de vin rouge
>4,5 g (3 c. à table) de Splenda
>1,25 ml (1/4 c. à thé) de mélasse noire
>240 ml (1 tasse) de bouillon de bœuf
>10 ml (2 c. à thé) de bouillon de bœuf concentré
>3 gousses d'ail broyées
>2 g (2 c. à thé) de thym séché
>10 ml (2 c. à thé) de sauce Worcestershire
>1 g (1/2 c. à thé) de poivre
>2 feuilles de laurier
>Guar ou xanthane

Dans un grand poêlon épais, saisissez le bœuf dans l'huile. Tranférez le bœuf dans la mijoteuse. Ajoutez l'oignon, les carottes et les navets. Remuez un peu.

Dans un bol, mélangez la bière, le vinaigre, Splenda, la mélasse, le bouillon, le concentré, l'ail, le thym, la sauce Worcestershire et le poivre. Versez ce mélange dans la mijoteuse. Déposez les feuilles de laurier sur le dessus. Couvrez la mijoteuse. Laissez cuire 8 heures à faible intensité.

Le temps de cuisson écoulé, retirez les feuilles de laurier. Ajoutez le guar ou le xanthane pour épaissir un peu la sauce.

Vous pouvez servir ce plat tel quel ou, pour faire plus traditionnel, le servir sur des fauxtates (page 291).

Infos : 6 portions, chacune contenant 411 calories, 24 g de lipides, 34 g de protéines, 10 g de glucides, 2 g de fibres alimentaires et 8 g de glucides assimilables.

Sauerbrauten

Ce rôti braisé traditionnel allemand demande un peu de planification, mais pas beaucoup de travail. Pourtant, le résultat est impressionnant ! N'oubliez pas les fauxtates (page 291) pour la sauce au jus !

> 2 kg (4 1/2 lb) de bœuf désossé dans la ronde ou la palette
> 240 ml (1 tasse) de vinaigre de cidre
> 1 tasse d'eau
> 1/2 oignon émincé
> 2 feuilles de laurier
> 2 g (1 c. à thé) de poivre
> 6 g (1/4 tasse) de Splenda
> 30 ml (2 c. à table) de graisse de bacon ou d'huile végétale
> 1,25 ml (1/4 c. à thé) de gingembre moulu
> 240 ml (1 tasse) de crème sure allégée (utilisez la crème sure régulière si vous préférez, mais elle n'est pas plus faible en glucides)
> Guar ou xanthane (facultatif)

Piquez le bœuf sur toutes les faces à l'aide d'une fourchette. Dans un bol profond, non réactif (en acier inoxydable, en verre ou en émail), mélangez le vinaigre, l'eau, l'oignon, les feuilles de laurier, le poivre et le Splenda. Déposez le bœuf dans la marinade et placez le bol au réfrigérateur. Laissez mariner le bœuf au moins 3 jours, voire 5 ou 6 jours. Tournez la pièce de bœuf une fois par jour (ou plus) pour que les deux côtés marinent également.

Le temps venu de préparer votre Sauerbrauten, retirez le bœuf de la marinade et asséchez-le avec des serviettes de papier. Réservez la marinade.

Dans un grand poêlon épais, faites chauffer la graisse de bacon ou l'huile et saisissez la viande de bœuf sur toutes ses faces. Transférez le bœuf dans la mijoteuse.

À l'aide d'une cuillère à égoutter, retirez l'oignon et le laurier de la marinade et déposez-les sur le bœuf. Prélevez 240 ml (1 tasse) de la marinade et ajoutez-y le gingembre. Versez ce liquide sur le bœuf et jetez le reste de la marinade. Couvrez la mijoteuse. Laissez cuire de 7 à 8 heures à faible intensité.

Le temps de cuisson écoulé, déposez le bœuf dans un plat de service. Incorporez la crème sure au liquide dans la mijoteuse. Au besoin, épaississez la sauce avec le guar ou le xanthane. Salez et poivrez au goût. Servez la sauce avec le bœuf.

Infos : 10 portions, chacune contenant 407 calories, 26 g de lipides, 38 g de protéines, 3 g de glucides, des traces de fibres alimentaires et 3 g de glucides assimilables.

Bœuf Stroganoff

Sa sauce crémeuse est tout simplement fabuleuse !

> 1 kg (2,2 lb) de ronde de bœuf coupée en cubes de 2,5 cm (1 po)
> 1 gros oignon haché
> 225 g (8 oz) de champignons tranchés en conserve, égouttés
> 415 ml (14 oz) de bouillon de bœuf en conserve
> 5 ml (1 c. à thé) de bouillon de bœuf concentré
> 10 ml (2 c. à thé) de sauce Worcestershire
> 3 g (1 c. à thé) de paprika
> 225 g (8 oz) de fromage à la crème (régulier ou allégé)
> 240 ml (1 tasse) de crème sure (régulière ou allégée)

Déposez le bœuf dans la mijoteuse. Déposez l'oignon sur le bœuf et ajoutez ensuite les champignons.

Dans un bol, mélangez le bouillon de bœuf, le concentré, la sauce Worcestershire et le paprika. Versez ce mélange dans la mijoteuse. Couvrez la mijoteuse. Laissez cuire de 8 à 10 heures à faible intensité.

Le temps de cuisson écoulé, coupez le fromage frais en cubes et incorporez-le à la sauce dans la mijoteuse en remuant jusqu'à ce qu'il soit fondu. Incorporez ensuite la crème sure.

Si vous le désirez, servez sur des fauxtates (page 291) ou du fleur-riz (page 290). Puisque les nouilles constituent l'accompagnement traditionnel du Stroganov, ce serait le bon moment de servir des pâtes faibles en glucides, si toutefois il existe une marque commerciale que vous aimez.

NOTE : Le yogourt nature peut remplacer aussi bien le fromage à la crème que la crème sure. Après avoir commencé la cuisson dans la mijoteuse, placez une passoire dans un bol. Déposez un filtre à café propre dans la passoire et versez-y deux contenants de 240 ml (8 oz) de yogourt nature. Placez la passoire et le bol au réfrigérateur, et laissez le yogourt s'égoutter pendant toute la journée. Incorporez ce « fromage » de yogourt avec un fouet à votre Stroganoff, à la place du fromage à la crème et de la crème sure.

Infos : 8 portions, chacune contenant 413 calories, 31 g de lipides, 28 g de protéines, 5 g de glucides, 1 g de fibres alimentaires et 4 g de glucides assimilables.

Bœuf et sauce asiatique aux champignons

Une fois que vous avez la sauce Hoisin en main, cette recette est vraiment très rapide à préparer. La sauce Hoisin est facile à faire et se conserve bien au réfrigérateur.

110 g (4 oz) de champignons tranchés
2 kg (4 1/2 lb) de rôti de bœuf
60 ml (1/4 tasse) de sauce Hoisin (page 282)
2 gousses d'ail broyées
2,5 g (1/2 c. à thé) de sel
60 ml (1/4 tasse) de bouillon de bœuf
Guar ou xanthane
35 g (6 c. à table) d'échalotes vertes émincées

Déposez les champignons dans la mijoteuse et placez le bœuf par-dessus. Versez la sauce Hoisin sur le bœuf et répartissez l'ail et le sel sur la sauce. Versez le bouillon autour de la pièce de viande. Couvrez la mijoteuse. Laissez cuire 9 heures à faible intensité.

Le temps de cuisson écoulé, retirez le bœuf de la mijoteuse et déposez-le dans un plat de service. Ajoutez le guar ou le xanthane pour épaissir un peu la sauce. Versez cette dernière dans une saucière. Tranchez le bœuf. Servez les portions avec la sauce que vous aurez parsemée d'échalotes.

Infos : 6 portions, chacune contenant 658 calories, 43 g de lipides, 61 g de protéines, 4 g de glucides, 1 g de fibres alimentaires et 3 g de glucides assimilables.

Bouts de côtes de bœuf au vin et aux champignons

Les bouts de côtes de bœuf sont très savoureux. Voici une façon simple de les apprêter.

> 2 kg (4 1/2 lb) de bouts de côtes de bœuf
> 2 feuilles de laurier
> 16 g (1 c. à table) de sauce Worcestershire
> 15 ml (1 c. à table) de bouillon de bœuf concentré
> 120 ml (1/2 tasse) de vin rouge sec
> 225 g (8 oz) de champignons en conserve égouttés
> Guar ou xanthane

Déposez les bouts de côtes dans la mijoteuse. Ajoutez les feuilles de laurier, la sauce Worcestershire et le bouillon. Versez le vin sur le tout. Déposez les champignons sur le dessus des autres ingrédients. Couvrez la mijoteuse. Laissez cuire de 8 à 10 heures à faible intensité.

Le temps de cuisson écoulé, transférez les bouts de côtes et les champignons dans un plat de service à l'aide d'une cuillère à égoutter. Il peut y avoir une certaine quantité de gras qui flotte sur le liquide dans le pot ; il est préférable de le retirer. Épaississez la sauce à votre guise avec le guar ou le xanthane.

Les fauxtates (page 291) sont parfaits pour accompagner ce plat. Ainsi, vous serez sûr de ne pas gaspiller cette bonne sauce !

Infos : 10 portions, chacune contenant 388 calories, 22 g de lipides, 42 g de protéines, 1 g de glucides, des traces de fibres alimentaires et 1 g de glucides assimilables.

Ragoût de bouts de côtes de bœuf

1,5 kg (environ 3 lb) de bouts de côtes de bœuf
30 ml (2 c. à table) d'huile d'olive
1 oignon moyen haché
225 g (8 oz) de champignons tranchés
360 ml (1 1/2 tasse) de bouillon de bœuf
1 g (1/2 c. à thé) de poivre
2,5 ml (1/2 c. à thé) de marjolaine séchée
2,5 ml (1/2 c. à thé) de graines de cumin
15 ml (1 c. à table) de jus de citron
30 ml (2 c. à table) de vinaigre de vin rouge
5 ml (1 c. à thé) de bouillon de bœuf concentré

Dans un grand poêlon épais, à intensité moyenne-forte, faites brunir les bouts de côtes dans l'huile. Puis, transférez-les dans la mijoteuse. Dans le poêlon, faites sauter l'oignon et les champignons à feu moyen-doux ou jusqu'à ce qu'ils soient un peu ramollis. Transférez-les dans la mijoteuse.

Dans un bol, mélangez le bouillon, le poivre, la marjolaine, les graines de cumin, le jus de citron, le vinaigre et le concentré. Versez le mélange sur les bouts de côtes. Couvrez la mijoteuse. Laissez cuire de 7 à 8 heures à faible intensité.

Vous pouvez épaissir la sauce si vous le désirez, mais je la préfère telle quelle, particulièrement avec les fauxtates (page 291).

Infos : 6 portions, chacune contenant 955 calories, 87 g de lipides, 36 g de protéines, 5 g de glucides, 1 g de fibres alimentaires et 4 g de glucides assimilables.

Ragoût avec ailloli à l'avocat

Cette recette a obtenu un énorme succès auprès de notre famille de « goûteurs » !

> 1,5 kg (environ 3 lb) de rôti de palette de bœuf désossé
> 15 ml (1 c. à table) d'huile d'olive
> 1 oignon moyen finement haché
> 120 ml (1/2 tasse) d'eau
> 5 ml (1 c. à thé) de bouillon de bœuf concentré
> 50 g (3 c. à table) de sauce Worcestershire
> 5 ml (1 c. à thé) d'origan séché
> 1 gousse d'ail broyée
> Ailloli à l'avocat (voir page suivante)

Assaisonnez le bœuf avec du sel et du poivre.

Dans un grand poêlon épais, saisissez le bœuf sur toutes ses faces dans l'huile. Transférez-le dans la mijoteuse. Ajoutez l'oignon.

Dans un bol, mélangez l'eau et le concentré. Versez ce mélange sur le bœuf. Ajoutez la sauce Worcestershire, l'origan et l'ail. Couvrez la mijoteuse. Laissez cuire 8 heures à faible intensité.

Servez avec l'ailloli à l'avocat.

Infos : 8 portions, chacune contenant 381 calories, 28 g de lipides, 27 g de protéines, 3 g de glucides, des traces de fibres alimentaires et 3 g de glucides assimilables.

 Ailloli à l'avocat

Cette recette n'accompagne pas uniquement le ragoût avec ailloli à l'avocat (page précédente). Servez-la également comme trempette pour les légumes. Les avocats de Californie sont petits et noirs ; ils ont une peau rude et sont plus faibles en glucides que ceux de la Floride, lesquels sont gros, verts et ont une peau lisse.

> 2 avocats de Californie, mûrs
> 60 g (1/4 tasse) de mayonnaise
> 15 ml (1 c. à table) de jus de lime
> 1 à 2 gousses d'ail broyées
> 1,25 g (1/4 c. à thé) de sel

À l'aide d'une cuillère, retirez la chair des avocats et déposez-la dans un mélangeur ou un robot culinaire. Ajoutez la mayonnaise, le jus de lime, l'ail et le sel. Faites fonctionner l'appareil jusqu'à l'obtention d'une consistance lisse.

Infos : 8 portions, chacune contenant 127 calories, 13 g de lipides, 1 g de protéines, 3 g de glucides, 2 g de fibres alimentaires et 1 g de glucides assimilables.

Biftecks en sauce

C'est une recette d'inspiration campagnarde.

> 15 ml (1 c. à table) d'huile d'olive
> 700 g (1 1/2 lb) de bifteck attendri
> 1 oignon moyen émincé
> 225 g (8 oz) de champignons tranchés
> 720 ml (3 tasses) de bouillon de bœuf
> 15 ml (1 c. à table) de bouillon de bœuf concentré
> Guar ou xanthane

Dans un grand poêlon épais, faites brunir le bifteck des deux côtés dans l'huile.

Déposez l'oignon et les champignons dans la mijoteuse.

Dans un bol, mélangez le bouillon et le concentré. Versez ce mélange sur les légumes. Placez le bifteck par-dessus. Couvrez la mijoteuse. Laissez cuire de 6 à 7 heures à faible intensité.

Le temps de cuisson écoulé, retirez le bifteck. Au besoin, épaississez la sauce avec le guar ou le xanthane.

Servez avec des fauxtates (page 291).

Infos : 6 portions, chacune contenant 297 calories, 17 g de lipides, 29 g de protéines, 5 g de glucides, 1 g de fibres alimentaires et 4 g de glucides assimilables.

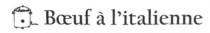 Bœuf à l'italienne

Cette recette, très facile à réaliser, regorge de saveur !

> 30 ml (2 c. à table) d'huile d'olive
> 1 kg (2,2 lb) de rôti de palette de bœuf, paré du gras
> 120 ml (1/2 tasse) de bouillon de bœuf
> 15 ml (1 c. à table) de bouillon de bœuf concentré
> 1 paquet de 19 g (0,7 oz) d'assaisonnement pour vinaigrette
>   italienne

Dans un grand poêlon épais, à intensité moyenne-forte, faites chauffer l'huile et saisissez le bœuf des deux côtés. Puis, transférez-le dans la mijoteuse.

Dans un bol, mélangez le bouillon, le concentré et l'assaisonnement pour vinaigrette. Versez le mélange sur le bœuf. Couvrez la mijoteuse. Laissez cuire de 6 à 8 heures à faible intensité.

Infos : 4 portions, chacune contenant 543 calories, 42 g de lipides, 37 g de protéines, 1 g de glucides, 0 g de fibres alimentaires et 1 g de glucides assimilables.

Ragoût romain

Plutôt que de contenir les assaisonnements à l'italienne conventionnels, ce plat s'inspire d'une authentique recette romaine de ragoût qui utilise des épices de l'Extrême-Orient. C'est original et merveilleux !

1,5 kg (environ 3 lb) de bœuf à ragoût en cubes de 2,5 cm (1 po)
45 ml (3 c. à table) d'huile d'olive
4 gousses d'ail
240 g (2 tasses) de céleri coupé
5 g (1 c. à thé) de sel ou de Vege-Sal
1,25 ml (1/4 c. à thé) de cannelle moulue
1,25 ml (1/4 c. à thé) de clous de girofle moulus
0,5 g (1/4 c. à thé) de poivre
0,75 ml (1/8 c. à thé) de piment de la Jamaïque moulu
0,75 ml (1/8 c. à thé) de muscade moulue
411 g (14 1/2 oz) de tomates en conserve coupées en dés, non égouttées
120 ml (1/2 tasse) de vin rouge sec
Guar ou xanthane (facultatif)

Dans un grand poêlon épais, à intensité moyenne-forte, saisissez le bœuf dans l'huile par petites quantités. Puis, transférez les cubes de bœuf dans la mijoteuse. Ajoutez l'ail et le céleri ; saupoudrez par la suite le sel ou le Vege-Sal, la cannelle, les clous de girofle, le poivre, le piment de la Jamaïque et la muscade sur le bœuf et les légumes. Ajoutez les tomates et le vin. Couvrez la mijoteuse. Laissez cuire de 7 à 8 heures à faible intensité.

Vous pouvez épaissir le jus de cuisson quelque peu avec le guar ou le xanthane, mais ce n'est pas vraiment nécessaire.

Infos : 8 portions, chacune contenant 369 calories, 17 g de lipides, 44 g de protéines, 5 g de glucides, 1 g de fibres alimentaires et 4 g de glucides assimilables.

Ragoût mexicain

Ce dîner tex-mex plaira à toute la famille.

> 1 kg (2,2 lb) de bœuf à ragoût en cubes de 2,5 cm (1 po)
> 411 g (14 1/2 oz) de tomates en conserve avec piments verts
> 50 g (1/2 tasse) d'oignon émincé
> 2 g (1 c. à thé) de poudre de chili
> 1 enveloppe de 35 g (1 1/4 oz) d'épices à tacos
> 425 g (15 oz) de fèves de soja noir en conserve
> 120 ml (1/2 tasse) de crème sure

Déposez le bœuf, les tomates, l'oignon et la poudre de chili dans la mijoteuse. Couvrez la mijoteuse. Laissez cuire de 8 à 9 heures à faible intensité.

Le temps de cuisson écoulé, ajoutez les épices à tacos et les fèves de soja. Couvrez la mijoteuse de nouveau et laissez cuire 20 minutes de plus à forte intensité. Déposez une cuillerée de crème sure sur chaque portion avant de servir.

Cette recette donne 6 généreuses portions, et pourrait même contenter 8 personnes.

Infos : 6 portions, chacune contenant 399 calories, 18 g de lipides, 46 g de protéines, 12 g de glucides, 5 g de fibres alimentaires et 7 g de glucides assimilables.

Ragoût réconfortant

C'est un de ces plats uniques qui semblent toujours réconforter les convives. J'ai constaté que la lente cuisson des navets en faisait ressortir toute la saveur ; en bout de ligne, ces derniers ressemblent étrangement à des pommes de terre.

700 g (1 1/2 lb) de bœuf haché
15 ml (1 c. à table) d'huile végétale
1 oignon moyen haché
4 gousses d'ail broyées
4 branches de céleri, coupées en dés
240 ml (1 tasse) de bouillon de bœuf
5 ml (1 c. à thé) de bouillon de bœuf concentré
2,5 g (1/2 c. à thé) de sel ou de Vege-Sal
2 g (1 c. à thé) de poivre
10 ml (2 c. à thé) d'origan séché
3 g (1 c. à thé) de moutarde sèche
32 g (2 c. à table) de pâte de tomate
115 g (4 oz) de fromage à la crème
3 navets, coupés en cubes
85 g (3/4 tasse) de cheddar râpé

Émiettez le bœuf dans un grand poêlon épais et saisissez-le à intensité moyenne-forte. Retirez la graisse et transférez le bœuf dans la mijoteuse.

Versez l'huile dans le poêlon. Réduisez l'intensité du feu (moyen-doux). Faites sauter l'oignon, l'ail et le céleri jusqu'à ce qu'ils soient un peu ramollis. Ajoutez le bouillon, le concentré, le sel ou le Vege-Sal, le poivre, l'origan, la moutarde sèche et la pâte de tomate. Remuez bien. Incorporez le fromage à la crème en utilisant le bord d'une spatule pour le couper en gros morceaux.

Laissez ce mélange bouillonner, en remuant de temps en autre, jusqu'à ce que le fromage à la crème soit fondu.

Pendant ce temps, ajoutez les navets dans la mijoteuse.

Lorsque le fromage à la crème est fondu, versez la sauce dans la mijoteuse. Remuez bien pour enrober le bœuf et les navets. Couvrez la mijoteuse. Laissez cuire 6 heures à faible intensité. Servez après avoir saupoudré chaque portion de fromage cheddar.

Infos : 6 portions, chacune contenant 549 calories, 40 g de lipides, 35 g de protéines, 12 g de glucides, 3 g de fibres alimentaires et 9 g de glucides assimilables.

Chili 911

Voici un plat qui ravira la compagnie ! J'ai servi ce mets un après-midi pluvieux où nous étions en camping et nous nous sommes fait un tas d'amis ! Vous pouvez diviser la recette en deux, mais il vous resterait une demi-boîte de fèves de soja. De toute façon, vous finirez ce plat. Alors, pourquoi vous compliquer la vie ?

> 1 kg (2,2 lb) de bœuf haché
> 150 g (1 1/2 tasse) d'oignon haché
> 4 gousses d'ail broyées
> 21 g (3 c. à table) de poudre de chili
> 9 g (3 c. à thé) de paprika
> 20 ml (4 c. à thé) de cumin moulu
> 60 ml (1/4 tasse) de ketchup sans sucre de Dana (page 276)
>   ou de ketchup faible en glucides du commerce
> 32 g (2 c. à table) de pâte de tomate
> 411 g (14 1/2 oz) de tomates en conserve coupées en dés
> 360 ml (12 oz) de bière légère
> 0,5 g (1 c. à thé) de Splenda
> 15 g (2 1/2 c. à thé) de sel
> 425 g (15 oz) de fèves de soya noir en conserve

Dans un grand poêlon épais, à intensité moyenne-forte, saisissez le bœuf après l'avoir émietté. Drainez votre viande et transférez-la dans la mijoteuse. Ajoutez l'oignon, l'ail, la poudre de chili, le paprika, le cumin, le ketchup, la pâte de tomate, les tomates, la bière, le Splenda, le sel et les fèves de soja. Remuez bien le tout. Couvrez la mijoteuse. Laissez cuire 8 heures à faible intensité.

Ce plat est délicieux avec du fromage râpé et de la crème sure. Quel chili ne le serait pas ? Vous pouvez toutefois le servir tel quel.

Infos : 10 portions, chacune contenant 329 calories, 21 g de lipides, 21 g de protéines, 12 g de glucides, 4 g de fibres alimentaires et 8 g de glucides assimilables.

Carne all'Ungherese

La recette originale, adaptée ici pour la mijoteuse, mentionnait qu'il s'agissait de la version italienne d'un ragoût hongrois. Quoi qu'il en soit, ce mets est décidément très bon !

60 ml (1/4 tasse) d'huile d'olive
700 g (1 1/2 lb) de bœuf à ragoût en cubes de 2,5 cm (1 po)
1 oignon moyen haché
1 poivron coupé en lanières
2 gousses d'ail broyées
240 ml (1 tasse) de bouillon de bœuf
5 ml (1 c. à thé) de bouillon de bœuf concentré
5 ml (1 c. à thé) de marjolaine séchée
16 g (1 c. à table) de pâte de tomate
6 g (1 c. à table) de paprika
30 ml (1 c. à table) de jus de citron
125 g (1/2 tasse) de yogourt nature

Dans un grand poêlon épais, à feu moyen-vif, faites chauffer de 15 à 30 ml d'huile (1 à 2 c. à table). Saisissez d'abord les cubes de viande. Il faudra procéder en deux ou trois étapes en ajoutant de l'huile au fur et à mesure que vous en aurez besoin. Puis, déposez la viande dans la mijoteuse.

Mettez le reste de l'huile dans le poêlon. Réduisez le feu (moyen-doux) et ajoutez l'oignon. Faites sauter l'oignon jusqu'à ce qu'il ramollisse, puis transférez-le dans la mijoteuse et ajoutez le poivron.

Dans un bol, mélangez l'ail, le bouillon, le concentré, la marjolaine, la pâte de tomate, le paprika et le jus de citron. Remuez jusqu'à ce que le concentré et la pâte de tomate soient bien dissous. Versez le mélange sur la viande et les oignons. Couvrez la mijoteuse. Laissez cuire de 6 à 7 heures à faible intensité.

Le temps de cuisson écoulé, incorporez le yogourt.

Servez avec des fauxtates (page 291).

Infos : 5 portions, chacune contenant 382 calories, 22 g de lipides, 38 g de protéines, 7 g de glucides, 1 g de fibres alimentaires et 6 g de glucides assimilables. (L'analyse nutritionnelle ne tient pas compte des fauxtates.)

Bifteck suisse

Voici une version simplifiée d'un plat classique.

1 gros oignon émincé
1,5 kg (environ 3 lb) de ronde de bœuf
15 ml (1 c. à table) de bouillon de bœuf concentré
240 ml (8 oz) de jus de légumes (par exemple, du V8)
2 branches de céleri tranchées
Guar ou xanthane (facultatif)

Déposez l'oignon dans la mijoteuse et placez le bœuf par-dessus.

Dans un bol, mélangez le bouillon et le jus de légumes. Versez ce mélange sur le bœuf. Répartissez le céleri sur le bœuf. Couvrez la mijoteuse. Laissez cuire de 8 à 10 heures à faible intensité.

Au besoin, épaississez le jus de cuisson avec le guar ou le xanthane avant de servir.

Servez sur une purée de chou-fleur.

Infos : 8 portions, chacune contenant 360 calories, 22 g de lipides, 35 g de protéines, 3 g de glucides, 1 g de fibres alimentaires et 2 g de glucides assimilables.

Ragoût de bœuf et de courgettes

N'essayez pas d'ajouter les courgettes au début de la cuisson, sinon elles se transformeraient en purée ! Préparez quelques légumes et une trempette, et prenez un petit verre de vin pendant que vous surveillerez la dernière heure de cuisson.

> 1 kg (2,2 lb) de rôti de palette de bœuf, sans os et sans gras, coupé en cubes
>
> 1 oignon moyen émincé
>
> 1 gros poivron rouge tranché en carrés de 2,5 cm (1 po)
>
> 1 gros poivron vert tranché en carrés de 2,5 cm (1 po)
>
> 250 g (1 tasse) de sauce à spaghetti sans sucre ajouté (je suggère la marque Hunt's)
>
> 120 ml (1/2 tasse) de bouillon de bœuf
>
> 2,5 ml (1/2 c. à thé) de bouillon de bœuf concentré
>
> 700 g (1 1/2 lb) de courgettes coupées en tranches de 1,25 cm (1/2 po) d'épaisseur
>
> Guar ou xanthane (facultatif)

Déposez le bœuf, l'oignon et les poivrons dans la mijoteuse.

Dans un bol, mélangez la sauce à spaghetti, le bouillon et le concentré. Versez ce mélange sur le bœuf et les légumes. Remuez bien. Couvrez la mijoteuse. Laissez cuire 9 heures à faible intensité.

Réglez ensuite la mijoteuse à forte intensité. Ajoutez les courgettes. Couvrez la mijoteuse. Laissez cuire 1 heure de plus.

Au besoin, épaississez la sauce avec le guar ou le xanthane avant de servir.

Infos : 6 portions, chacune contenant 367 calories, 24 g de lipides, 27 g de protéines, 10 g de glucides, 3 g de fibres alimentaires et 7 g de glucides assimilables.

Poitrine de bœuf aux chipotles

Notre « goûteur », qui a adoré cette recette, l'a divisée en deux. N'hésitez pas à faire de même.

2 kg (4 1/2 lb) de poitrine de bœuf (si nécessaire, coupez-la en morceaux pour qu'elle entre dans la mijoteuse)
30 ml (2 c. à table) d'huile d'olive
1 oignon moyen finement émincé
4 branches de céleri finement tranchées
4 gousses d'ail broyées
11 g (1 c. à table) de moutarde sèche
4 g (1 c. à table) d'origan séché
5 ml (1 c. à thé) de cumin moulu
4 g (2 c. à thé) de poivre
5 g (1 c. à thé) de sel ou de Vege-Sal
455 g (16 oz) de sauce tomate en conserve
120 ml (1/2 tasse) de bouillon de bœuf
5 ml (1 c. à thé) de bouillon de bœuf concentré
60 ml (1/4 tasse) de vinaigre de vin rouge
12 g (1/2 tasse) de Splenda
2,5 ml (1/2 c. à thé) de mélasse noire
2 chipotles en conserve dans une sauce adobo
2 feuilles de laurier
Guar ou xanthane

Dans un grand poêlon épais, à feu moyen-vif, saisissez le bœuf dans l'huile. Puis, déposez le bœuf dans la mijoteuse.

Faites ensuite sauter l'oignon et le céleri dans le poêlon jusqu'à ce qu'ils soient ramollis. Ajoutez l'ail, la moutarde sèche, l'origan, le cumin, le poivre et le sel ou le Vege-Sal. Faites sauter 1 ou 2 minutes de plus. Transférez le mélange dans la mijoteuse.

À l'aide d'un mélangeur ou d'un robot culinaire, combinez la sauce tomate, le bouillon, le concentré, le vinaigre, le Splenda, la mélasse et les chipotles. Mélangez jusqu'à l'obtention d'une consistance lisse.

Déposez les feuilles de laurier dans la mijoteuse et versez la sauce sur les ingrédients. Couvrez la mijoteuse. Laissez cuire 12 heures à faible intensité.

Le temps de cuisson écoulé, déposez le bœuf dans un plat de service. Au besoin, épaississez la sauce avec le guar ou le xanthane. Servez-la avec le bœuf.

Infos : 8 portions, chacune contenant 779 calories, 64 g de lipides, 41 g de protéines, 8 g de glucides, 2 g de fibres alimentaires et 6 g de glucides assimilables.

Bœuf à la salsa

Si la veille vous n'avez pas fait un repas à la mijoteuse, voici une des recettes ultrasimples où il n'y a pas grand-chose à faire !

    3 navets pelés et coupés en cubes
    455 g (1 lb) de bébés carottes
    1,5 kg (environ 3 lb) d'épaule de bœuf
    520 g (2 tasses) de salsa
    Guar ou xanthane (facultatif)

Déposez les navets et les carottes dans la mijoteuse. Placez ensuite le bœuf sur le lit de légumes. Versez la salsa sur les ingrédients. Couvrez la mijoteuse. Laissez cuire de 8 à 10 heures à faible intensité.

Le temps de cuisson écoulé, retirez le bœuf et défaites-le en morceaux à l'aide de deux fourchettes. Déposez les légumes dans un plat de service en vous servant d'une cuillère à égoutter. Placez-y les morceaux de bœuf. Au besoin, épaississez la sauce avec le guar ou le xanthane. Versez la sauce sur les légumes et le bœuf. Servez.

Infos : 8 portions, chacune contenant 200 calories, 5 g de lipides, 26 g de protéines, 11 g de glucides, 3 g de fibres alimentaires et 8 g de glucides assimilables.

Queue de bœuf Pontchartrain

Cette recette, par son côté épicé, présente de nombreuses caractéristiques de la cuisine de la Nouvelle-Orléans ; c'est la raison pour laquelle je l'ai nommée d'après le lac Pontchartrain. La queue de bœuf est très osseuse, mais elle est savoureuse et s'apprête très bien à la mijoteuse. Si vous ne la connaissez pas, n'ayez crainte ; il s'agit d'une viande de muscle, comme le sont les biftecks ou les rôtis. Cependant, il y a beaucoup d'os pour la quantité de viande.

2 kg (4 1/2 lb) de queues de bœuf
18 g (3 c. à table) d'assaisonnement cajun
30 ml (2 c. à table) d'huile d'olive
3 gros piments banane tranchés
1 oignon moyen émincé
1 carotte moyenne râpée
2 branches de céleri tranchées
1 gousse d'ail broyée
240 ml (1 tasse) de vin rouge sec
60 ml (1/4 tasse) de brandy
1,5 g (1 1/2 c. à thé) de thym séché
3 feuilles de laurier
411 g (14 1/2 oz) de tomates en conserve coupées en dés
2 chipotles en conserve dans une sauce adobo, hachés (vous pouvez n'en utiliser qu'un si vous souhaitez un plat moins relevé)

Saupoudrez les queues de bœuf de l'assaisonnement cajun.

Dans un grand poêlon épais, saisissez les queues de bœuf dans l'huile. Transférez-les dans la mijoteuse.

Dans un poêlon, faites sauter les piments, l'oignon, la carotte, le céleri et l'ail jusqu'à ce qu'ils soient un peu ramollis. Déposez le tout dans la mijoteuse et mélangez avec les queues de bœuf.

Versez le vin et le brandy dans le poêlon et déglacez. Ajoutez le thym, les feuilles de laurier, les tomates et les chipotles. Remuez bien. Déposez sur les queues de bœuf et les légumes. Couvrez la mijoteuse. Laissez cuire 8 heures à faible intensité.

Infos : 6 portions, chacune contenant 935 calories, 48 g de lipides, 96 g de protéines, 13 g de glucides, 3 g de fibres alimentaires et 10 g de glucides assimilables.

Rôti braisé presto

Cette recette, tirée de *15-Minutes Low-Carb Recipes*, fait très année 1965 ; cependant, elle est incroyablement facile à réaliser et très savoureuse.

> 225 g (8 oz) de champignons tranchés
> 1 à 1,5 kg (2 à 3 1/2 lb) de rôti de palette de bœuf sans os
> 1 enveloppe de 23 g (1 oz) de mélange à soupe à l'oignon
> 120 ml (1/2 tasse) de vin rouge sec
> Guar ou xanthane

Placez les champignons au fond de la mijoteuse et déposez le bœuf par-dessus.

Dans un bol, mélangez la préparation de soupe à l'oignon et le vin. Puis, versez le tout dans la mijoteuse. Couvrez la mijoteuse. Laissez cuire 8 heures à faible intensité.

Le temps de cuisson écoulé, retirez le bœuf (procédez soigneusement, car il sera très tendre) et utilisez le guar ou le xanthane pour épaissir la sauce dans la mijoteuse. Servez cette sauce avec le rôti braisé.

Infos : 6 portions, chacune contenant 358 calories, 24 g de lipides, 25 g de protéines, 6 g de glucides, 1 g de fibres alimentaires et 5 g de glucides assimilables. (Cette analyse nutritionnelle suppose que vous utilisiez un rôti de 1 kg (2 lb) et que vous mangiez la totalité de la sauce.)

Bœuf aux pepperoncini

Les pepperoncini sont des piments italiens saumurés — un peu épicés, mais pas trop. Vous les trouverez dans le même rayon que les olives et les cornichons. Ils donnent un goût exquis à ce mets.

> 1 à 1,5 kg (2 à 3 1/2 lb) de rôti de palette de bœuf sans os
> 120 g (1 tasse) de piments pepperoncini, non égouttés
> 1/2 oignon moyen haché
> Guar ou xanthane

Déposez le bœuf dans la mijoteuse. Puis, parsemez-le de piments et d'oignon. Couvrez la mijoteuse. Laissez cuire 8 heures à faible intensité.

Le temps de cuisson écoulé, déposez le bœuf dans un plat de service. Prélevez les piments à l'aide d'une cuillère à égoutter et entourez-en le bœuf. Épaississez le jus de cuisson avec le guar ou le xanthane. Salez et poivrez. Servez la sauce avec le bœuf.

Infos : 6 portions, chacune contenant 325 calories, 24 g de lipides, 24 g de protéines, 3 g de glucides, des traces de fibres alimentaires et 3 g de glucides assimilables. (Cette analyse nutritionnelle vaut pour un rôti de 1 kg ou 2 lb.)

Bœuf à la bière

Voici une recette simple tirée de *500 recettes à faible teneur en glucides*. Le thé, la bière et la cuisson lente à la mijoteuse rendent la viande très tendre. J'ai modifié quelque peu la recette. À l'origine, vous auriez enrobé le bœuf de poudre de soja ou d'un mélange à cuisson faible en glucides, mais j'ai conclu que ce n'était pas essentiel. Et cela ajouterait une étape qui fait des dégâts dans une cuisine !

> 30 à 45 ml (2 à 3 c. à table) d'huile d'olive
> 910 g (2 lb) de ronde de bœuf sans os
> 1 oignon moyen émincé
> 225 g (8 oz) de sauce tomate en conserve
> 360 ml (12 oz) de bière légère
> 5 ml (1 c. à thé) de thé en poudre instantané
> 110 g (4 oz) de champignons en conserve, égouttés
> 2 gousses d'ail broyées

Dans un grand poêlon épais, à feu moyen-vif, saisissez le bœuf dans l'huile. Puis, déposez le bœuf dans la mijoteuse.

Par la suite, faites frire l'oignon pendant quelques minutes et ajoutez-le au contenu de la mijoteuse.

Versez la sauce tomate et la bière sur le bœuf. Saupoudrez le thé. Ajoutez les champignons et l'ail. Couvrez la mijoteuse. Laissez cuire de 8 à 9 heures à faible intensité.

Cette recette est excellente lorsqu'elle est servie avec des fauxtates (page 291).

Infos : 6 portions, chacune contenant 374 calories, 24 g de lipides, 28 g de protéines, 7 g de glucides, 2 g de fibres alimentaires et 5 g de glucides assimilables.

🍲 Rôti braisé pékinois

Cela semble dingue, mais ce plat est très bon ! Cette recette, tirée de *500 recettes à faible teneur en glucides*, vous demandera de vous y prendre un peu à l'avance ; par contre, elle ne vous demandera pas beaucoup de travail.

> 1,5 à 2,5 kg (3 à 5 lb) de rôti de bœuf (palette, ronde ou croupe)
> 5 ou 6 gousses d'ail émincées
> 240 ml (8 oz) de vinaigre de cidre
> 240 ml (1 tasse) d'eau
> 1 petit oignon finement émincé
> 360 ml (1 1/2 tasse) de café fort (le café instantané donne d'excellents résultats)
> 5 ml (1 c. à thé) de guar ou de xanthane

Au moins 24 à 36 heures avant de faire cuire votre rôti, faites des entailles dans le bœuf à l'aide d'un couteau aiguisé et insérez une tranche d'ail dans chacune des incisions. Déposez le bœuf dans un grand bol et versez-y le vinaigre et l'eau. Rangez le bol dans le réfrigérateur. Laissez mariner pendant au moins une journée, en tournant la viande quand vous y pensez.

Le temps venu de faire cuire votre rôti, déposez le bœuf dans la mijoteuse (vous pouvez jeter la marinade). Ajoutez l'oignon. Versez le café sur le bœuf et l'oignon. Couvrez la mijoteuse. Selon la grosseur du rôti, Laissez cuire de 8 à 10 heures à faible intensité.

Le temps de cuisson écoulé, retirez soigneusement le bœuf de la mijoteuse (il sera tellement tendre qu'il risquera de se défaire en morceaux). Prélevez 480 ml (2 tasses) de liquide et quelques oignons que vous placerez dans le mélangeur avec le guar ou le xanthane. Combinez les éléments pendant quelques instants. Versez ce mélange dans une casserole. Faites réduire cette sauce à feu vif pendant environ 5 minutes. Salez et poivrez. (C'est étonnant la différence qu'apportent le sel et le poivre ici ; je n'ai pas aimé la saveur de cette sauce jusqu'à ce que j'y ajoute du sel et du poivre.) Tranchez le bœuf et servez-le avec la sauce.

AVERTISSEMENT : Ne faites pas cette recette avec une coupe de bœuf tendre ! Cette recette attendrira la coupe la plus dure ; une viande tendre se dissoudrait presque à coup sûr. Utilisez des coupes dures, peu coûteuses et préparez-vous à être stupéfait par leur tendreté à la fin de la cuisson.

Infos : 12 portions, chacune contenant 324 calories, 24 g de lipides, 24 g de protéines, 3 g de glucides, des traces de fibres alimentaires et 3 g de glucides assimilables. (Cette analyse nutritionnelle vaut pour un rôti sans os de 2 kg ou 4 1/2 lb.)

🫕 Bouts de côtes de bœuf à faible teneur en glucides

C'est une des premières recettes que j'ai adaptées du livre de Peg Bracken, *I Hate To Cook Book*, qui est le livre de cuisine le plus drôle du monde (mais aussi un des plus utiles). À l'origine, cette recette riche en glucides n'était pas conçue pour la mijoteuse, mais j'ai réussi à arranger tout ça !

225 g (8 oz) de sauce tomate en conserve
180 ml (3/4 tasse) d'eau
30 ml (2 c. à table) de vinaigre de vin ou de vinaigre de cidre
60 ml (4 c. à table) de sauce soja
1 g (2 c. à thé) de Splenda
1,5 à 2 kg (3 à 4 lb) de bouts de côtes de bœuf
1 gros oignon émincé
Guar ou xanthane (facultatif)

Dans un bol, mélangez la sauce tomate, l'eau, le vinaigre, la sauce soja et le Splenda.

Mettez les bouts de côtes dans la mijoteuse. Mettez-y l'oignon. Versez la sauce sur l'oignon et les bouts de côtes. Couvrez la mijoteuse. Laissez cuire de 8 à 9 heures à faible intensité. (Si vous utilisez des bouts de côtes décongelés, soustrayez environ 1 heure au temps de cuisson.)

Au besoin, épaississez la sauce avec le guar ou le xanthane avant de servir. (Cette recette vous donne des bouts de côtes extrêmement savoureux dans une sauce légère mais goûteuse ; en fait, il s'agit plutôt d'un bouillon.)

Infos : 7 portions, chacune contenant 559 calories, 31 g de lipides, 61 g de protéines, 5 g de glucides, 1 g de fibres alimentaires et 4 g de glucides assimilables. (Cette analyse nutritionnelle vaut pour 1,5 kg ou 3 lb de bouts de côtes. La valeur en glucides variera selon la quantité de sauce que vous mangerez, puisque la majorité des glucides se cachent dans cette dernière. En outre, la valeur en calories suppose que vous mangiez la totalité du gras qui se sera écoulé des bouts de côtes, ce que je ne vous recommande pas.)

CHAPITRE CINQ

Le porc

Voici un long chapitre, et pour cause. Le porc est délicieux et nutritif ; il s'apprête de plusieurs manières et se cuit très bien à la mijoteuse. Vous trouverez de tout dans ce chapitre, du repas familial facile à préparer au souper convivial le plus sophistiqué !

Porc braisé au fenouil

Cette recette a été l'un de mes premiers grands triomphes à la mijoteuse et elle se classe toujours parmi les deux ou trois meilleurs plats que j'ai cuisinés en utilisant ce mode de cuisson. Vos invités seront ravis que vous leur serviez ce succulent mets. Le fenouil ressemble à une ampoule verte ; il a des tiges semblables au céleri et un feuillage plumeté. Les tiges sont dures, mais le feuillage peut être haché pour composer une salade ou utilisé comme garniture. Il a un merveilleux goût, semblable à celui de la réglisse.

> 2 kg (4 1/2 lb) de rôti d'épaule de porc
> 30 ml (2 c. à table) d'huile d'olive
> 1 oignon moyen émincé
> 1 bulbe de fenouil émincé
> 240 ml (1 tasse) de vinaigre de cidre
> 4,5 g (3 c. à table) de Splenda
> 260 g (1 tasse) de tomates en conserve coupées en dés, égouttées
> 240 ml (1 tasse) de bouillon de poulet
> 5 ml (1 c. à thé) de bouillon de poulet concentré
> 2 gousses d'ail broyées
> 0,5 g (1/2 c. à thé) de thym séché
> 2,5 ml (1/2 c. à thé) de piment broyé, ou au goût
> Guar ou xanthane

Dans un grand poêlon épais, à feu moyen-vif, saisissez le porc dans l'huile jusqu'à ce qu'il soit bien bruni sur toutes les faces (à peu près 20 minutes). Déposez le porc dans la mijoteuse.

Ne gardez que 15 ml (1 c. à table) de gras dans le poêlon. Réduisez le feu à intensité moyenne-douce. Faites sauter l'oignon et le fenouil jusqu'à ce qu'ils soient juste quelque peu dorés. Mettez les légumes la mijoteuse.

Dans un bol, mélangez le vinaigre et le Splenda. Versez le mélange sur le porc. Ajoutez les tomates.

Dans un bol, mélangez bien le bouillon et le concentré. Incorporez l'ail, le thym et le piment. Versez également ce mélange sur le porc. Couvrez la mijoteuse. Laissez cuire 8 heures à faible intensité.

Le temps de cuisson écoulé, déposez le porc dans un plat de service. À l'aide d'une cuillère à égoutter, prélevez les légumes et disposez-les autour du porc. Couvrez le plat d'une feuille de papier d'aluminium. Gardez au chaud.

Versez le liquide de la mijoteuse dans une casserole. Placez cette dernière sur un feu vif et faites réduire le liquide de 5 à 7 minutes. Ajoutez du guar ou du xanthane pour épaissir la sauce juste un peu. (Vous voulez avoir la texture d'une demi-glace.) Servez la sauce sur le porc et les légumes.

Infos : 6 portions, chacune contenant 621 calories, 46 g de lipides, 41 g de protéines, 10 g de glucides, 2 g de fibres alimentaires et 8 g de glucides assimilables.

Daube de porc facile

Voici une recette élémentaire ; il s'agit d'une force, non d'une faiblesse. Accompagné d'une salade, ce plat constitue un bon repas.

    1,5 kg (environ 3 lb) de longe de porc sans os
    30 ml (2 c. à table) d'huile d'olive
    225 g (8 oz) de sauce tomate
    60 ml (1/4 tasse) de sauce soja
    120 ml (1/2 tasse) de bouillon de poulet
    12 g (1/2 tasse) de Splenda
    6 g (2 c. à thé) de moutarde sèche
    Guar ou xanthane (facultatif)

Dans un grand poêlon épais, faites brunir le porc sur tous les côtés dans l'huile. Déposez le porc dans la mijoteuse.

Dans un bol, mélangez la sauce tomate, la sauce soja, le bouillon, le Splenda et la moutarde sèche. Versez ce mélange sur le porc. Couvrez la mijoteuse. Laissez cuire de 8 à 9 heures à faible intensité.

Le temps de cuisson écoulé, placez le porc dans un plat de service. Au besoin, épaississez le jus de cuisson avec le guar ou le xanthane. Servez la sauce avec le porc.

Infos : 8 portions, chacune contenant 301 calories, 14 g de lipides, 37 g de protéines, 4 g de glucides, 1 g de fibres alimentaires et 3 g de glucides assimilables.

Porc braisé aux abricots

Voici un fabuleux repas du dimanche pour toute la famille ; de plus, il demande très peu de travail.

> 2 1/2 lb (1,25 kg) de longe de porc sans os
> 30 ml (2 c. à table) d'huile d'olive
> 35 g (1/3 tasse) d'oignon haché
> 180 ml (3/4 tasse) de bouillon de poulet
> 80 g (1/4 tasse) de confiture d'abricots faible en sucre
> 15 ml (1 c. à table) de vinaigre balsamique
> 15 ml (1 c. à table) de jus de citron
> 1,5 g (1 c. à table) de Splenda
> Guar ou xanthane

Dans un grand poêlon épais, saisissez le porc dans l'huile. Déposez le porc dans la mijoteuse. Dispersez l'oignon autour du porc.

Dans un bol, mélangez le bouillon, la confiture, le vinaigre, le jus de citron et le Splenda. Versez ce mélange sur le porc. Couvrez la mijoteuse. Laissez cuire 7 heures à faible intensité.

Le temps de cuisson écoulé, déposez le porc dans un plat de service. Salez et poivrez la sauce. Épaississez-la avec le guar ou le xanthane. Servez-la dans une saucière.

Infos : 6 portions, chacune contenant 338 calories, 17 g de lipides, 40 g de protéines, 5 g de glucides, des traces de fibres alimentaires et 5 g de glucides assimilables.

Porc braisé aux légumes et sauce crémeuse aux champignons

Un repas rustique dont toute la famille raffolera !

> 2 1/2 lb (1,25 kg) de longe de porc sans os
> 60 g (1/2 tasse) de carottes coupées en rondelles
> 110 g (4 oz) de champignons tranchés
> 280 g (10 oz) de haricots verts surgelés, non dégelés
> 15 ml (1 c. à table) de bouillon de bœuf concentré
> 30 ml (2 c. à table) d'eau
> 411 g (14 1/2 oz) de tomates en conserve à l'ail rôti
> Guar ou xanthane
> 120 ml (1/2 tasse) de crème fraîche 35 % M.G.

Déposez le porc au fond de la mijoteuse. Entourez le porc avec les carottes, les champignons et les haricots verts. (Ne vous fatiguez pas à dégeler les haricots verts ; frappez à quelques reprises le paquet sur le comptoir avant de l'ouvrir, ce qui permettra de séparer les haricots.)

Dans un bol, dissolvez le bouillon dans l'eau. Ajoutez les tomates. Versez ce mélange sur le porc et les légumes. Couvrez la mijoteuse. Laissez cuire de 8 à 9 heures à faible intensité.

Le temps de cuisson écoulé, placez le porc et les légumes dans un plat de service. Épaississez le jus de cuisson avec le guar ou le xanthane. Incorporez par la suite la crème. Salez et poivrez.

Servez la sauce avec le porc et les légumes.

Infos : 8 portions, chacune contenant 284 calories, 19 g de lipides, 23 g de protéines, 5 g de glucides, 1 g de fibres alimentaires et 4 g de glucides assimilables.

Porc à l'orange et au romarin

Un jour, j'ai vu Rachael Ray (dont j'adore l'émission de cuisine à la télé) faire griller quelques côtelettes de porc pour préparer un de ses repas en 30 minutes. Elle nous apprenait que l'orange et le romarin se marient magnifiquement avec le porc. Eh bien, Rachael connaît son affaire ! J'ai donc décidé d'emprunter ces saveurs pour un plat à la mijoteuse faible en glucides. Oh, que c'est bon ! Merci de ton idée, Rachael !

700 g (1 1/2 lb) de longe de porc sans os
30 ml (2 c. à table) d'huile d'olive
60 ml (1/4 tasse) de vinaigre de vin blanc
60 ml (1/4 tasse) de jus de citron
4,5 g (3 c. à table) de Splenda
1,25 ml (1/4 c. à thé) d'extrait d'orange
2,5 ml (1/2 c. à thé) de romarin moulu
1 gousse d'ail broyée
5 ml (1 c. à thé) de sauce soja
0,5 g (1/4 c. à thé) de poivre
1,25 g (1/4 c. à thé) de sel ou de Vege-Sal

Dans un grand poêlon épais, à feu moyen-vif, faites brunir le porc dans l'huile. Déposez le porc dans la mijoteuse.

Dans un bol, mélangez le vinaigre, le jus de citron, le Splenda, l'extrait d'orange, le romarin, l'ail, la sauce soja, le poivre et le sel ou le Vege-Sal. Versez ce mélange sur le porc. Couvrez la mijoteuse. Laissez cuire de 5 à 6 heures à faible intensité.

Infos : 4 portions, chacune contenant 317 calories, 23 g de lipides, 23 g de protéines, 3 g de glucides, des traces de fibres alimentaires et 3 g de glucides assimilables.

Porc au chou

Ai-je besoin de préciser que cette recette s'adresse aux amateurs de chou ?

> 2 kg (4 1/2 lb) de rôti d'épaule de porc sans gras
> 30 ml (2 c. à table) d'huile d'olive
> 2 carottes coupées en rondelles de 2,5 cm (1 po)
> 2 gousses d'ail broyées
> 2 branches de céleri coupées en tranches de 1,25 cm (1/2 po)
> 1 enveloppe de 23 g (1 oz) de préparation pour soupe à l'oignon
> 360 ml (1 1/2 tasse) d'eau
> 700 g (1 1/2 lb) de chou grossièrement coupé
> Guar ou xanthane

Dans un grand poêlon épais, faites brunir le porc dans l'huile.

Placez les carottes, l'ail et le céleri dans la mijoteuse. Ajoutez la préparation pour soupe à l'oignon et l'eau.

Lorsque le porc est bien bruni, déposez-le dans la mijoteuse. Couvrez la mijoteuse. Laissez cuire 7 heures à faible intensité.

Le temps de cuisson écoulé, ajoutez le chou en l'immergeant dans le liquide. Couvrez de nouveau la mijoteuse et laissez cuire de 45 minutes à 1 heure de plus.

Placez le porc dans un plat de service. Utilisez une cuillère à égoutter pour disposer les légumes autour du porc. Épaississez le liquide dans la mijoteuse avec le guar ou le xanthane. Salez et poivrez. Versez le liquide dans une saucière. Servez-la avec le porc et les légumes.

Infos : 8 portions, chacune contenant 478 calories, 35 g de lipides, 31 g de protéines, 10 g de glucides, 3 g de fibres alimentaires et 7 g de glucides assimilables.

Porc aux rutabagas

Si vous n'avez jamais essayé le rutabaga, vous devez absolument le faire. Le rutabaga est semblable au navet, sauf qu'il possède une saveur aigre-douce ravissante. Cette recette est délicieuse avec une moitié de rutabaga et une moitié de cubes de citrouille fraîche. Il est toutefois difficile de trouver de la citrouille fraîche à longueur d'année.

> 2 1/2 lb (1,25 kg) de rutabaga pelé et coupé en cubes
> 1,5 kg (environ 3 lb) de rôti d'épaule de porc sans os, ficelé
> 2,5 ml (1/2 c. à thé) de mélasse noire
> 12 g (1/2 tasse) de Splenda
> 0,5 g (1/4 c. à thé) de Cayenne
> 1 gousse d'ail broyée

Déposez le rutabaga au fond de la mijoteuse. Déposez le porc par-dessus. Versez la mélasse goutte à goutte sur le porc et le rutabaga.

Dans un bol, mélangez le Splenda, le Cayenne et l'ail. Saupoudrez ce mélange sur le porc et le rutabaga. Couvrez la mijoteuse. Laissez cuire de 8 à 9 heures à faible intensité.

Le temps de cuisson écoulé, retirez le porc de la mijoteuse. Coupez la ficelle. Tranchez le porc ou défaites-le en morceaux. Servez le porc sur le rutabaga avec le jus de cuisson.

Infos : 6 portions, chacune contenant 472 calories, 31 g de lipides, 32 g de protéines, 16 g de glucides, 5 g de fibres alimentaires et 11 g de glucides assimilables.

Jambon à la moutarde et au miel

Vous devez vous demander comment faire rôtir un jambon quand ne pouvez rester près du four pendant des heures. Dans la mijoteuse, bien sûr ! Vous aurez besoin d'une grande mijoteuse pour faire cette recette.

2,5 kg (5 lb) de jambon cuit avec l'os
80 ml (1/3 tasse) de vinaigre de cidre
12 g (1/2 tasse) de Splenda
15 g (1 c. à table) de moutarde brune
2,5 ml (1/2 c. à thé) de mélasse noire
5 ml (1 c. à thé) d'eau

Déposez le jambon dans la mijoteuse.

Dans un bol, mélangez le vinaigre et 3 g (2 c. à table) de Splenda. Versez ce mélange dans la mijoteuse. Dans le même bol, mélangez la moutarde, la mélasse, le reste du Splenda et l'eau. Versez ce mélange sur le jambon. Couvrez la mijoteuse. Laissez cuire 7 heures à faible intensité.

Infos : 6 portions, chacune contenant 683 calories, 41 g de lipides, 68 g de protéines, 6 g de glucides, des traces de fibres alimentaires et 6 g de glucides assimilables.

Jambon aux navets et aux rutabagas

Si vous faites rôtir un jambon dans la mijoteuse, vous pouvez faire rôtir vos légumes aussi, non ?

4 navets coupés en cubes
700 g (1 1/2 lb) de rutabaga pelé et coupé en cubes
3,25 kg (6 1/2 lb) de rôti de jambonneau

Déposez les navets et le rutabaga au fond de la mijoteuse. Placez le jambon sur les légumes (côté plat vers le bas). Couvrez la mijoteuse. Laissez cuire de 5 à 6 heures à faible intensité. Cette fois encore, vous aurez besoin d'une grande mijoteuse.

Infos : 10 portions, chacune contenant 674 calories, 51 g de lipides, 43 g de protéines, 9 g de glucides, 3 g de fibres alimentaires et 6 g de glucides assimilables.

Ragoût crémeux au jambon

J'ai fait cette recette pour utiliser mon jambon cuit à la mijoteuse ; elle a remporté un vif succès auprès de mon mari.

1 chou-fleur
1 oignon moyen haché
1 grande branche de céleri avec les feuilles
480 ml (2 tasses) de boisson au lait Carb Countdown
240 ml (1 tasse) de bouillon de poulet
30 ml (6 c. à thé) de guar ou de xanthane
3 g (1 c. à thé) de moutarde sèche
5 g (1 c. à thé) de sel ou de Vege-Sal
1 g (1/2 c. à thé) de poivre
225 g (8 oz) de gruyère râpé

Dans le robot culinaire, coupez le chou-fleur avec le disque prévu à cet effet. Mettez le chou haché dans un bol. Remplacez le disque de coupe du robot culinaire par la lame en « S » et hachez finement l'oignon et le céleri.

Avec un mélangeur manuel ou un mélangeur régulier, combinez le Carb Countdown et le bouillon. Ajoutez le guar ou le xanthane. Mélangez jusqu'à ce qu'il n'y ait plus aucun grumeau. Versez le mélange dans une casserole et chauffez-le à feu moyen-doux. (Si vous avez un mélangeur manuel, vous pouvez verser le Carb Countdown et le bouillon de poulet dans la casserole et, pour vous épargner un peu de lavage de vaisselle, utiliser le mélangeur manuel pour incorporer l'épaississant.) Ajoutez la moutarde sèche, le sel ou le Vege-Sal et le poivre. Lorsque la sauce est chaude, incorporez le fromage, un peu à la fois, jusqu'à ce qu'il soit entièrement fondu. Éteignez le feu.

Vaporisez la mijoteuse d'un antiadhésif. Mettez une couche de chou-fleur, une couche plus fine d'oignon et de céleri, puis une généreuse couche de jambon. Répétez l'opération jusqu'à ce que tous les ingrédients soient répartis et que la mijoteuse soit pleine. Versez la moitié de la sauce sur le tout. Elle ne coulera pas immédiatement au fond de la mijoteuse ; faites-la passer à travers les aliments à l'aide d'un racloir en caoutchouc en perçant les différentes couches. La sauce se dirigera vers le fond et, lorsqu'il y aura assez d'espace sur le dessus de la préparation, versez le reste de la sauce et poussez vers le bas de nouveau. Couvrez la mijoteuse. Laissez cuire de 6 à 7 heures à faible intensité.

Infos : 8 portions, chacune contenant 287 calories, 19 g de lipides, 24 g de protéines, 5 g de glucides, 1 g de fibres alimentaires et 4 g de glucides assimilables.

Porc aigre-doux

Voici un autre plat sauté métamorphosé en repas pour la mijoteuse. Il y manque les gros morceaux d'ananas que l'on trouve habituellement dans des plats aigre-doux, car ils sont trop riches en glucides. Cependant, l'ananas broyé en conserve dans la sauce donne la même bonne saveur !

700 g (1 1/2 lb) de longe de porc sans os, coupée en cubes de 2,5 cm (1 po)
1 poivron vert, coupé en dés
6 g (1/4 tasse) de Splenda
8 g (1 c. à table) de racine de gingembre râpée
1 gousse d'ail broyée
60 ml (1/4 tasse) de vinaigre de riz
45 ml (3 c. à table) de sauce soja
1,25 ml (1/4 c. à thé) de mélasse noire
65 g (1/3 tasse) d'ananas broyé en conserve avec le jus
1/2 tête de chou-fleur
Guar ou xanthane

Déposez le porc et le poivron dans la mijoteuse.

Dans un bol, mélangez le Splenda, le gingembre, l'ail, le vinaigre, la sauce soja, la mélasse et l'ananas. Versez ce mélange sur le porc et le poivron. Couvrez la mijoteuse. Laissez cuire 6 heures à faible intensité.

Le temps de cuisson écoulé, hachez le chou-fleur au robot culinaire. Déposez-le dans un plat allant au micro-ondes muni d'un couvercle. Ajoutez 15 à 30 ml (1 à 2 c. à table) d'eau. Couvrez et faites cuire au micro-ondes à puissance maximale pendant 7 minutes. C'est votre fleur-riz !

Entre-temps, épaississez le jus de cuisson avec le guar ou le xanthane jusqu'à ce qu'il ait la texture que l'on trouve dans les mets chinois commerciaux. Servez le porc sur le fleur-riz.

Infos : 4 portions, chacune contenant 283 calories, 11 g de lipides, 36 g de protéines, 9 g de glucides, 1 g de fibres alimentaires et 8 g de glucides assimilables.

Ragoût de porc au cari

Ce plat n'est pas vraiment authentique, mais il est terriblement bon. Essayez-le avec un de nos chutneys (voir les recettes aux pages 250 et 252).

> 455 g (1 lb) de longe de porc sans os, coupée en cubes
> 2,5 g (1/2 c. à thé) de sel
> 12 g (2 c. à table) de poudre de cari
> 15 ml (1 c. à table) d'huile d'olive
> 1 oignon émincé
> 2 petits navets coupés en cubes
> 260 g (1 tasse) de tomates en conserve coupées en dés
> 120 ml (1/2 tasse) de vinaigre de cidre
> 3 g (2 c. à table) de Splenda
> 300 g (2 tasses) de chou-fleur coupé en dés

Assaisonnez le porc avec le sel et 6 g (1 c. à table) de poudre de cari.

Dans un grand poêlon épais, à feu moyen-vif, faites brunir le porc dans l'huile d'olive.

Déposez l'oignon et les navets dans la mijoteuse. Couvrez avec le porc et les tomates.

Dans un bol, mélangez le vinaigre, le Splenda et la poudre de cari qui reste. Versez le mélange sur le porc. Couvrez la mijoteuse. Laissez cuire 7 heures à faible intensité.

Le temps de cuisson écoulé, ajoutez le chou-fleur. Couvrez la mijoteuse de nouveau et laissez cuire pendant environ 1 heure ou jusqu'à ce que le chou-fleur soit tendre.

Infos : 6 portions, chacune contenant 177 calories, 8 g de lipides, 17 g de protéines, 11 g de glucides, 3 g de fibres alimentaires et 8 g de glucides assimilables.

Ragoût de porc aux pommes

Dans cette recette, la saveur de pomme provient du vinaigre de cidre. Notre vérificatrice, Maria, coupe ses navets en forme de tranches de pomme et sa famille a pensé qu'il s'agissait de pommes ! Ils ont tous adoré cette recette.

> 1 kg (2,2 lb) de longe de porc coupée en cubes de 2,5 cm (1 po)
> 2 navets moyens, coupés en cubes
> 2 carottes moyennes, coupées en tranches de 1,25 cm (1/2 po) d'épaisseur
> 1 oignon moyen émincé
> 60 g (1/2 tasse) de céleri tranché
> 240 ml (1 tasse) de vinaigre de cidre de pomme
> 4,5 g (3 c. à table) de Splenda
> 240 ml (1 tasse) de bouillon de poulet
> 5 ml (1 c. à thé) de bouillon de poulet concentré
> 5 ml (1 c. à thé) de graines de cumin
> 0,5 g (1/4 c. à thé) de poivre

Déposez le porc, les navets, les carottes, l'oignon et le céleri dans la mijoteuse.

Dans un bol, mélangez le vinaigre, le Splenda, le bouillon de poulet et le concentré. Versez ce mélange sur le porc et les légumes. Ajoutez les graines de cumin et le poivre. Remuez le tout. Couvrez la mijoteuse. Laissez cuire 8 heures à faible intensité.

Infos : 6 portions, chacune contenant 226 calories, 6 g de lipides, 34 g de protéines, 10 g de glucides, 2 g de fibres alimentaires et 8 g de glucides assimilables.

Ragoût de porc à la manière du Sud-Ouest

Notre vérificatrice a donné 10/10 à cette recette ; sa famille aussi !

1 oignon moyen haché
3 gousses d'ail broyées
1 kg (2,2 lb) de longe de porc sans os, coupée en cubes de 2,5 cm (1 po)
10 ml (2 c. à thé) de cumin moulu
4 g (1 c. à table) d'origan séché
2,5 g (1/2 c. à thé) de sel
425 g (15 oz) de fèves de soja noir en conserve
411 g (14 1/2 oz) de tomates en conserve avec piments verts
240 ml (1 tasse) de bouillon de poulet
5 ml (1 c. à thé) de bouillon de poulet concentré

Déposez l'oignon et l'ail dans la mijoteuse et placez le porc sur ces derniers.

Dans un bol, mélangez le cumin, l'origan, le sel, les fèves de soja, les tomates, le bouillon de poulet et le concentré. Versez ce mélange sur le porc et les légumes. Couvrez la mijoteuse. Laissez cuire de 8 à 9 heures à faible intensité.

Infos : 6 portions, chacune contenant 257 calories, 10 g de lipides, 34 g de protéines, 6 g de glucides, 1 g de fibres alimentaires et 5 g de glucides assimilables.

Longe de porc à l'orange

La longe de porc désossée est fréquemment en solde. Il s'agit d'une viande très maigre, souvent insipide et sèche. La mijoteuse règle ce petit problème ! Par ailleurs, la citrouille fraîche n'est malheureusement disponible qu'à l'automne. C'est à cette période de l'année que vous devriez faire ce plat. Cette recette ne demande qu'une petite quantité de citrouille ; alors, achetez-en une petite, sinon vous aurez une montagne de restes.

455 g (1 lb) de citrouille pelée et coupée en cubes de 1,25 cm (1/2 po)

455 g (1 lb) de rutabaga coupé en cubes de 1,25 cm (1/2 po)

30 ml (2 c. à table) d'huile d'olive

1 kg (2,2 lb) de longe de porc

40 g (2 c. à table) de marmelade d'oranges faible en sucre ou de confiture d'oranges

1,25 ml (1/4 c. à thé) d'extrait d'orange

1 g (2 c. à thé) de Splenda

2 gousses d'ail broyées

2,5 g (1/2 c. à thé) de sel

120 ml (1/2 tasse) de bouillon de poulet

Guar ou xanthane

Déposez la citrouille et le rutabaga au fond de la mijoteuse.

Dans un grand poêlon épais, à feu moyen-vif, faites brunir le porc dans l'huile. Déposez le porc dans la mijoteuse.

Dans un bol, mélangez la marmelade d'oranges, l'extrait d'orange, le Splenda, l'ail, le sel et le bouillon. Versez le mélange sur le porc. Couvrez la mijoteuse. Laissez cuire 8 heures à faible intensité.

Le temps de cuisson écoulé, placez soigneusement le porc dans un plat de service et utilisez une cuillère à égoutter pour disposer les légumes tout autour. Utilisez le guar ou le xanthane pour épaissir le liquide jusqu'à l'obtention d'une consistance crémeuse. Servez le porc avec la sauce et les légumes.

Infos : 6 portions, chacune contenant 281 calories, 10 g de lipides, 34 g de protéines, 13 g de glucides, 2 g de fibres alimentaires et 11 g de glucides assimilables.

Chili au porc

Proposez ce plat aux coéquipiers de votre enfant après une partie de soccer et vous aurez de nombreux convives à la maison.

> 15 ml (1 c. à table) d'huile d'olive
> 1,25 kg (2 1/2 lb) de longe de porc sans os coupée en cubes de 2,5 cm (1 po)
> 411 g (14 1/2 oz) de tomates en conserve avec piments verts
> 25 g (1/4 tasse) d'oignon haché
> 30 g (1/4 tasse) de poivron vert coupé en dés
> 1 gousse d'ail broyée
> 7 g (1 c. à table) de poudre de chili

Dans un grand poêlon épais, faites brunir le porc dans l'huile. Déposez le porc dans la mijoteuse. Ajoutez les tomates, l'oignon, le poivron, l'ail et la poudre de chili. Couvrez la mijoteuse. Laissez cuire de 6 à 8 heures à faible intensité.

Si vous le souhaitez, servez ce plat avec de la crème sure et du fromage monterey Jack râpé, mais il est déjà très bon tel quel.

Infos : 8 portions, chacune contenant 189 calories, 8 g de lipides, 25 g de protéines, 3 g de glucides, 1 g de fibres alimentaires et 2 g de glucides assimilables.

Porc Mu Shu

Cette recette n'a rien d'authentique, mais elle est très savoureuse. Mon mari, qui ne raffole pas de la cuisine asiatique, a vraiment adoré ce mets.

2 prunes, dénoyautées et coupées
1 gousse d'ail broyée
16 g (2 c. à table) de racine de gingembre râpée
60 ml (1/4 tasse) de sauce soja
30 ml (2 c. à table) de xérès
10 ml (2 c. à thé) d'huile de sésame foncée
0,75 ml (1/8 c. à thé) de cinq-épices
15 ml (1 c. à table) de vinaigre de riz
4,5 g (3 c. à table) de Splenda
1 kg (2,2 lb) de longe de porc sans os coupée en quelques gros morceaux
Guar ou xanthane
5 œufs battus
100 g (2 tasses) de fèves germées
140 g (2 tasses) de chou napa râpé
16 tortillas faibles en glucides de 15 cm (6 po)
75 g (3/4 tasse) d'échalotes vertes émincées
Sauce Hoisin (facultatif, page 282)

Déposez les prunes, l'ail, le gingembre, la sauce soja, le xérès, l'huile de sésame, le cinq-épices, le vinaigre et le Splenda dans un robot culinaire muni d'une lame en « S » et réduisez le tout en purée.

Déposez le porc dans la mijoteuse. Versez le mélange de prunes sur le porc. Couvrez la mijoteuse. Laissez cuire de 7 à 8 heures à faible intensité.

Le temps de cuisson écoulé, retirez les morceaux de porc à l'aide d'une cuillère à égoutter et déposez-les dans un grand plat. Utilisez deux fourchettes pour défaire le porc en petits lambeaux. Épaississez la sauce dans la mijoteuse avec le guar ou le xanthane jusqu'à l'obtention d'une consistance semblable à celle du ketchup. Déposez de nouveau le porc dans la mijoteuse. Couvrez, laissez cuire 30 minutes de plus à forte intensité.

Entre-temps, vaporisez un grand poêlon épais d'un antiadhésif. (Un poêlon antiadhésif ferait aussi bien l'affaire.) Faites-le chauffer à feu moyen-vif. Versez assez d'œufs pour former une mince couche dans le fond du poêlon. Laissez cuire, sans remuer, jusqu'à l'obtention d'une pellicule solide. Transférez cette fine « omelette » dans un plat. Cuisinez le reste des œufs de la même manière. Utilisez un couteau pointu pour couper ces omelettes en lanières de 0,60 cm (1/4 po) de largeur. Réservez.

Les trente minutes de cuisson à forte intensité écoulées, ajoutez les fèves germées, le chou et les lanières d'œuf dans le mélange au porc. Couvrez de nouveau la mijoteuse. Laissez cuire de 10 à 15 minutes de plus. (Vous voulez que les fèves soient chaudes mais encore croustillantes.) Pendant ce temps, émincez les échalotes.

Pour servir, étendez 80 ml (1/3 tasse) du mélange « porc, œufs et légumes » sur une tortilla, parsemez d'échalotes, enveloppez et dégustez ! Si vous voulez être plus authentique, vous pouvez étendre un peu de sauce Hoisin sur chaque tortilla avant le remplissage, mais ça n'est pas indispensable.

Infos : 16 portions, chacune contenant 175 calories, 8 g de lipides, 19 g de protéines, 14 g de glucides, 9 g de fibres alimentaires et 5 g de glucides assimilables.

Côtes levées asiatiques épicées

La vraie saveur chinoise ! Si votre famille aime les côtes levées chinoises, vous devez essayer cette recette !

1,75 kg (3 3/4 lb) de côtes levées de porc
4 échalotes vertes émincées
60 ml (1/4 tasse) de sauce soja
8 g (1/3 tasse) de Splenda
5 ml (1 c. à thé) de mélasse noire
30 ml (2 c. à table) de vinaigre de vin blanc
10 ml (2 c. à thé) d'huile de sésame grillé
10 ml (2 c. à thé) de jus de citron
2,5 ml (1/2 c. à thé) de sauce épicée
1 gousse d'ail
2,5 ml (1/2 c. à thé) de gingembre moulu
1 g (1/2 c. à thé) de poudre de chili
1,25 ml (1/4 c. à thé) de flocons de piments de Cayenne
30 ml (6 c. à thé) de sauce Hoisin (page 282)

Déposez les côtes levées dans la mijoteuse.

Dans un bol, mélangez les échalotes, la sauce soja, le Splenda, la mélasse, le vinaigre, l'huile de sésame, le jus de citron, la sauce épicée, l'ail, le gingembre, la poudre de chili, le piment broyé et la sauce Hoisin. Versez ce mélange sur les côtes levées. Couvrez la mijoteuse. Laissez cuire de 8 à 9 heures à faible intensité.

Infos : 6 portions, chacune contenant 469 calories, 35 g de lipides, 32 g de protéines, 4 g de glucides, 1 g de fibres alimentaires et 3 g de glucides assimilables.

Côtes levées à la Key West

La sauce barbecue citronnée donne à ce plat un petit goût de la Floride !

> 1,5 kg (environ 3 lb) de côtes levées de porc
> 30 g (1/4 tasse) d'oignon finement émincé
> 60 ml (1/4 tasse) de sauce barbecue faible en glucides
>   (page 279) ou d'une sauce commerciale
> 5 ml (1 c. à thé) de zeste d'orange râpé
> 5 ml (1 c. à thé) de zeste de citron râpé
> 2,5 g (1/2 c. à thé) de sel
> 30 ml (2 c. à table) de vinaigre de vin blanc
> 30 ml (2 c. à table) de jus de citron
> 30 ml (2 c. à table) de jus de lime
> 2 g (1 1/2 c. à table) de Splenda
> 0,75 ml (1/8 c. à thé) d'extrait d'orange
> 30 ml (2 c. à table) d'huile d'olive

Dans un grand poêlon épais, à feu moyen-vif, faites brunir les côtes levées. Puis, déposez-les dans la mijoteuse.

Dans un bol, mélangez l'oignon, la sauce barbecue, le zeste d'orange, le zeste de citron, le sel, le vinaigre, le jus de citron, le jus de lime, le Splenda, l'extrait d'orange et l'huile. Versez ce mélange sur les côtes levées. Couvrez la mijoteuse. Laissez cuire de 7 à 9 heures à faible intensité.

Servez les côtes levées et la sauce.

Infos : 6 portions, chacune contenant 421 calories, 33 g de lipides, 26 g de protéines, 3 g de glucides, des traces de fibres alimentaires et 3 g de glucides assimilables.

Côtes levées épicées à l'érable

Mon copain, Ray Stevens, qui a évalué beaucoup de recettes pour moi, raffole de ce plat. Ce dernier est même devenu son barème pour évaluer toutes les autres recettes !

> 1,5 kg (environ 3 lb) de côtes levées de porc
> 120 ml (1/2 tasse) de sirop à crêpes (sans sucre)
> 4,5 g (3 c. à table) de Splenda
> 30 ml (2 c. à table) de sauce soja
> 25 g (1/4 tasse) d'oignon haché
> 2,5 ml (1/2 c. à thé) de cannelle moulue
> 2,5 ml (1/2 c. à thé) de gingembre moulu
> 2,5 ml (1/2 c. à thé) de piment de la Jamaïque moulu
> 3 gousses d'ail broyées
> 0,5 g (1/4 c. à thé) de poivre
> 0,25 g (1/8 c. à thé) de Cayenne

Déposez les côtes levées dans la mijoteuse.

Dans un bol, mélangez le sirop, le Splenda, la sauce soja, l'oignon, la cannelle, le gingembre, le piment de la Jamaïque, l'ail, le poivre et le Cayenne. Versez le mélange sur les côtes levées. Couvrez la mijoteuse. Laissez cuire 9 heures à faible intensité.

Infos : 6 portions, chacune contenant 382 calories, 29 g de lipides, 27 g de protéines, 2 g de glucides, des traces de fibres alimentaires et 2 g de glucides assimilables.

Porc glacé à l'orange

Les saveurs de fruits de toutes sortes se marient à merveille avec le porc.

> 1 kg (2,2 lb) de longe de porc (partie des côtes sans os)
> 1/2 petit oignon émincé
> 1 gousse d'ail broyée
> 7 g (1/2 c. à table) de beurre
> 60 g (1/2 tasse) de poivron vert émincé
> 1/2 gousse d'ail broyée
> 60 g (3 c. à table) de marmelade d'oranges faible en sucre
> 60 ml (1/4 tasse) de jus de citron
> 1,5 g (1 c. à table) de Splenda
> 1,25 ml (1/4 c. à thé) d'extrait d'orange
> 8 g (1 c. à table) de racine de gingembre râpée
> Guar ou xanthane

Vaporisez la mijoteuse d'un antiadhésif. Ajoutez la longe de porc, l'oignon et l'ail. Couvrez la mijoteuse. Laissez cuire de 7 à 8 heures à faible intensité.

Le temps de cuisson écoulé, faites fondre le beurre dans une casserole non réactive de taille moyenne. Ajoutez le poivron et l'ail et faites-les sauter jusqu'à ce qu'ils soient ramollis. Ajoutez la marmelade d'oranges, le jus de citron, le Splenda, l'extrait d'orange et le gingembre. Laissez frémir pendant 5 minutes. Épaississez quelque peu la sauce avec le guar ou le xanthane.

Déposez la longe de porc sur une lèchefrite. Badigeonnez-la avec la sauce. Passez–la au gril pendant 5 minutes à forte intensité pour la glacer. Servez le porc avec le reste de la sauce.

Infos : 6 portions, chacune contenant 304 calories, 20 g de lipides, 27 g de protéines, 3 g de glucides, des traces de fibres alimentaires et 3 g de glucides assimilables.

Côtes levées à la choucroute

Pour faire cette recette, vous pouvez substituer de la saucisse fumée aux côtes levées. Dans ce cas, comparez les étiquettes pour trouver la saucisse fumée la plus faible en glucides.

> 1 kg (2,2 lb) de côtes levées de porc
> 1 pomme Granny Smith de taille moyenne, coupée en dés
> 1/2 oignon moyen tranché
> 455 g (1 lb) de choucroute rincée et égouttée
> 4,5 g (3 c. à table) de Splenda
> 2,5 ml (1/2 c. à thé) de mélasse noire
> 5 ml (1 c. à thé) de graines de cumin
> 60 ml (1/4 tasse) de vin blanc sec

Déposez les côtes levées, la pomme et l'oignon dans la mijoteuse. Recouvrez le tout de choucroute.

Dans un bol, mélangez le Splenda, la mélasse, les graines de cumin et le vin. Versez le mélange sur la choucroute et le porc. Couvrez la mijoteuse. Laissez cuire 8 heures à faible intensité.

Infos : 6 portions, chacune contenant 286 calories, 19 g de lipides, 18 g de protéines, 7 g de glucides, 3 g de fibres alimentaires et 4 g de glucides assimilables.

Côtes levées à la choucroute et aux pommes

Même ceux qui ne raffolent pas de la choucroute pourraient aimer cette recette. Avec la pomme et les autres légumes, ce plat offre davantage que la choucroute à se mettre sous la dent !

1,75 kg (3 3/4 lb) de côtes levées de porc
30 ml (2 c. à table) d'huile végétale
110 g (3/4 tasse) de chou-fleur coupé en dés
110 g (3/4 tasse) de navet coupé en dés
1 pomme Granny Smith, étrognée, finement émincée
2 carottes coupées en rondelles
1 oignon moyen émincé
455 g (1 lb) de choucroute rincée et égouttée
120 ml (1/2 tasse) de vinaigre de cidre
4,5 g (3 c. à table) de Splenda
10 ml (2 c. à thé) de graines de cumin
0,75 ml (1/8 c. à thé) de clous de girofle moulus
Guar ou xanthane

Dans un grand poêlon épais, à feu moyen-vif, faites brunir les côtes levées dans l'huile.

Déposez le chou-fleur, le navet, la pomme, les carottes et l'oignon dans la mijoteuse. Placez les côtes levées et la choucroute sur les légumes.

Dans un bol, mélangez le vinaigre, le Splenda, les graines de cumin et les clous de girofle. Versez le mélange sur les côtes levées et la choucroute. Couvrez la mijoteuse. Laissez cuire de 8 à 9 heures à faible intensité.

Le temps de cuisson écoulé, déposez les côtes levées dans un plat de service à l'aide de pincettes et prélevez les légumes avec une cuillère à égoutter. Épaississez le jus de cuisson avec le guar ou le xanthane. Salez et poivrez la sauce. Servez-la avec les côtes levées et les légumes.

Infos : 6 portions, chacune contenant 529 calories, 39 g de lipides, 32 g de protéines, 13 g de glucides, 4 g de fibres alimentaires et 9 g de glucides assimilables.

Barbecue à la mijoteuse

C'est recette est simple, simple, simple.

> 12 g (2 c. à table) d'assaisonnement classique (page 284) ou d'un assaisonnement du commerce
> 1,25 kg (2 1/2 lb) de côtes levées de porc, coupées en 2 ou 3 morceaux afin de pouvoir les entrer dans la mijoteuse
> 80 ml (1/3 tasse) de sauce barbecue Kansas City de Dana (page 279) ou de sauce barbecue faible en glucides du commerce

Saupoudrez 6 g (1 c. à table) d'assaisonnement de chaque côté des côtes levées. Déposez les côtes levées dans une lèchefrite. Faites-les griller au four, à environ 15 cm (6 po) de la source de chaleur, de 5 à 7 minutes par côté ou jusqu'à ce qu'elles soient bien brunies. Déposez les côtes levées dans la mijoteuse.

À l'aide d'une cuillère, étendez la sauce barbecue sur les côtes levées de façon à bien enduire le dessus de ces dernières. Couvrez la mijoteuse. Laissez cuire 6 heures à faible intensité.

Infos : 3 portions, chacune contenant 688 calories, 56 g de lipides, 40 g de protéines, 4 g de glucides, des traces de fibres alimentaires et 4 g de glucides assimilables.

Côtes levées à la polynésienne

Une fête hawaïenne dans la mijoteuse !

1 kg (2,2 lb) de côtes levées de porc
1 gousse d'ail broyée
1/2 oignon moyen tranché
50 g (1/4 tasse) d'ananas broyé en conserve avec le jus
120 ml (1/2 tasse) de ketchup sans sucre de Dana (page 276)
   ou de ketchup faible en glucides du commerce
1,5 g (1 c. à table) de Splenda
2,5 ml (1/2 c. à thé) de mélasse noire
15 ml (1 c. à table) de sauce soja
2,5 g (1 c. à thé) de racine de gingembre râpée
2,5 ml (1/2 c. à thé) d'huile de sésame grillé
15 ml (1 c. à table) de vinaigre de cidre

Déposez les côtes levées, l'ail et l'oignon dans la mijoteuse.

Dans un bol, mélangez l'ananas et 60 ml (1/4 tasse) de ketchup.
Versez le mélange sur les côtes levées. Couvrez la mijoteuse.
Laissez cuire de 8 à 10 heures à faible intensité.

Le temps de cuisson écoulé, déposez les côtes levées sur une
lèchefrite. Réservez-les au chaud.

Videz le jus de cuisson dans une casserole. Ajoutez les derniers
60 ml (1/4 tasse) de ketchup, le Splenda, la mélasse, la sauce soja,
le gingembre, l'huile de sésame et le vinaigre. Laissez mijoter
jusqu'à ce que la sauce soit assez réduite.

À l'aide d'une cuillère, versez la sauce sur les côtes levées et
passez-les sous le gril pendant environ 5 minutes pour les glacer.

Infos : 6 portions, chacune contenant 288 calories, 20 g de lipides, 19 g de protéines, 9 g de glucides, 1 g de fibres alimentaires et 8 g de glucides assimilables.

Côtes levées au soja et au sésame

Voici une autre version asiatique pour cuire les côtes levées. Les graines de sésame grillées utilisées comme garniture pour ce plat lui donnent une touche tout à fait spéciale.

> 1,5 kg (environ 3 lb) de côtes levées de porc (si nécessaire, coupez les côtes levées afin qu'elles tiennent dans la mijoteuse)
> 8 g (1/3 tasse) de Splenda
> 60 ml (1/4 tasse) de ketchup sans sucre de Dana (page 276) ou de ketchup faible en glucides du commerce
> 20 g (1 c. à table) de substitut de miel (sans sucre)
> 15 ml (1 c. à table) de vinaigre de cidre
> 1 gousse d'ail broyée
> 1,25 g (1/2 c. à thé) de racine de gingembre râpée
> 2,5 ml (1/2 c. à thé) de flocons de piment de Cayenne
> 2,5 ml (1/2 c. à thé) d'huile de sésame foncée
> 8 g (1 c. à table) de graines de sésame
> 4 échalotes vertes, finement émincées

Faites griller les côtes levées au four, à 15 cm (6 po) de la source de chaleur, environ 10 minutes par côté ou jusqu'à ce qu'elles soient bien brunies. Puis, déposez-les dans la mijoteuse.

Dans un bol, mélangez le Splenda, le ketchup, le miel, le vinaigre, l'ail, le gingembre, le piment et l'huile de sésame. Versez le mélange sur les côtes levées, en prenant soin de bien les enduire. Couvrez la mijoteuse. Laissez cuire de 5 à 6 heures à faible intensité.

Dans un poêlon sec, à feu moyen-vif, faites griller les graines de sésame en les remuant jusqu'à ce qu'elles commencent à crépiter et à faire des cabrioles. Parsemez les côtes levées de graines de sésame et d'échalotes. Servez.

Infos : 4 portions, chacune contenant 646 calories, 52 g de lipides, 37 g de protéines, 7 g de glucides, 1 g de fibres alimentaires et 6 g de glucides assimilables. (L'analyse nutritionnelle ne tient pas compte des polyols contenus dans le substitut de miel.)

Côtes levées teriyaki à la tangerine

Voici une variante simple du bon vieux teriyaki.

> 2 kg (4 1/2 lb) de côtes levées de porc
> Sauce teriyaki (page 283)
> Sauce barbecue soleil de la Floride (page 278)

Déposez les côtes levées dans la mijoteuse.

Dans un bol, mélangez les sauces teriyaki et barbecue à la mandarine. Versez le mélange sur les côtes levées. Couvrez la mijoteuse. Laissez cuire de 7 à 8 heures à faible intensité.

Le temps de cuisson écoulé, retirez les côtes levées. Versez la sauce dans une casserole non réactive. Faites-la bouillir à feu vif jusqu'à ce qu'elle épaississe. Servez-la avec les côtes levées.

Infos : 8 portions, chacune contenant 415 calories, 29 g de lipides, 28 g de protéines, 8 g de glucides, 1 g de fibres alimentaires et 7 g de glucides assimilables.

Lanières de porc fumées à la mijoteuse

Le porc fumé est une tradition dans les Carolines (aux États-Unis). Il demande habituellement de nombreuses heures de fumage. La présente recette n'est pas authentique mais, grâce à l'arôme de fumée liquide, elle est délicieuse. Pour réaliser cette recette, il vous faudra un injecteur à viande. Ce petit accessoire ressemble à une énorme seringue, le genre de seringue effrayante que vous verriez bien entre les mains d'un médecin fou. Vous en trouverez des modèles économiques dans les magasins d'articles de cuisine.

> 80 ml (1/3 tasse) d'arôme de fumée liquide
> 1,5 kg (environ 3 lb) d'épaule de porc
> Des sauces, comme la sauce au vinaigre de la Caroline de l'Est
>   (page 281)
>   la sauce barbecue Kansas City de Dana (page 279)
>   et la sauce à la moutarde du Piedmont (page 280)

Remplissez la seringue d'arôme de fumée liquide et injectez son contenu à une douzaine d'endroits de l'épaule de porc. Salez et poivrez la pièce de viande. Puis, déposez-la dans la mijoteuse. Versez de 15 ml à 30 ml (1 à 2 c. à table) d'arôme de fumée liquide sur le porc. Couvrez la mijoteuse. Laissez cuire 8 heures à faible intensité.

Le temps de cuisson écoulé, sortez le porc de la mijoteuse et retirez l'os (ce qui devrait être facile à ce moment-ci). Jetez l'os, ainsi que tout le gras de surface. Utilisez deux fourchettes pour défaire la viande en lanières. Mélangez ces dernières avec une des sauces suggérées.

Vous pouvez servir les lanières de porc fumées de plusieurs façons : dans des tortillas faibles en glucides, dans de petits pains ou sur un nid de salade de chou (ce que je préfère).

Infos : 6 portions, chacune contenant 405 calories, 31 g de lipides, 29 g de protéines, des traces de glucides et de fibres alimentaires, et 0 g de glucides assimilables.

Côtes levées teriyaki

Ce plat est doux, épicé, acidulé, et la viande est très tendre.

> 3 kg (6 ½ lb) de côtes levées de porc, coupées en 3 ou 4 morceaux afin de pouvoir les entrer dans la mijoteuse
> 180 ml (3/4 tasse) de ketchup sans sucre de Dana (page 276) ou de ketchup faible en glucides du commerce
> 1 recette de sauce teriyaki (page 283)
> 6 g (1/4 tasse) de Splenda
> 1,25 ml (1/4 c. à thé) mélasse noire
> 5 ml (1 c. à thé) d'ail haché ou 2 gousses d'ail broyées
> Guar ou xanthane

Déposez les côtes levées dans la mijoteuse.

Dans un bol, mélangez le ketchup, la sauce teriyaki, le Splenda, la mélasse et l'ail. Versez le mélange sur les côtes levées. Couvrez la mijoteuse. Laissez cuire 10 heures à faible intensité.

Le temps de cuisson écoulé, utilisez des pinces pour retirer les côtes levées, qui seront incroyablement tendres et savoureuses. Prélevez autant de jus de cuisson que vous pensez en utiliser et épaississez-le avec le guar ou le xanthane. Servez la sauce avec les côtes levées.

Infos : 8 portions, chacune contenant 650 calories, 50 g de lipides, 38 g de protéines, 9 g de glucides, 1 g de fibres alimentaires (cette valeur varie selon la quantité de sauce que vous mangez) et environ 8 g de glucides assimilables.

Côtes levées épicées et fruitées

Cette recette un peu épicée, un peu sucrée, s'inspire quelque peu du Sud-Ouest et de l'Asie, mais le tout est délicieux.

3 kg (6 1/2 lb) de côtes levées de porc, coupées en 3 ou
  4 morceaux afin de pouvoir les entrer dans la mijoteuse
120 g (6 c. à table) de confiture d'abricots faible en sucre
80 ml (1/3 tasse) de jus de citron
3 g (2 c. à table) de Splenda
14 g (2 c. à table) de poudre de chili
10 ml (2 c. à thé) de cinq-épices
60 ml (1/4 tasse) de sauce soja
120 ml (1/2 tasse) de bouillon de poulet

Déposez les côtes levées dans une lèchefrite. Faites-les griller au four, à environ 15 cm (6 po) de la source de chaleur, de 7 à 8 minutes par côté ou jusqu'à ce qu'elles soient bien brunies. Puis, déposez-les dans la mijoteuse.

Dans un bol, mélangez les confitures, le jus de citron, le Splenda, la poudre de chili, le cinq-épices, la sauce soja et le bouillon. Versez le mélange sur les côtes levées. Couvrez la mijoteuse. Laissez cuire de 6 à 7 heures à faible intensité.

Le temps de cuisson écoulé, placez les côtes levées dans un plat de service. Videz le liquide de cuisson dans un pot transparent et profond. Laissez la graisse remonter en surface et retirez-la. Versez ensuite le liquide dans une casserole. Faites-le réduire de moitié ou jusqu'à ce qu'il commence à épaissir. Servez la sauce avec les côtes levées.

Infos : 8 portions, chacune contenant 636 calories, 50 g de lipides, 37 g de protéines, 7 g de glucides, 1 g de fibres alimentaires et 6 g de glucides assimilables.

Côtes levées au gingembre et au romarin, glacées à l'abricot

Cette recette est originalement parue dans *15-Minutes Low-Carb Recipes*. Si vous avez une grande famille, utilisez un gros morceau de côtes levées — 3 kg (6 1/2 lb) — et doublez la quantité des assaisonnements.

> 1 kg (2,2 lb) de côtes levées de porc
> Assaisonnement au gingembre et au romarin (j'utilise la marque Stubb's)
> 40 g (2 c. à table) de confiture d'abricots faible en sucre
> 7,5 ml (1 1/2 c. à thé) de moutarde brune épicée
> 0,5 g (1 c. à thé) de Splenda
> 7,5 ml (1 1/2 c. à thé) de sauce soja

Saupoudrez généreusement les côtes levées (sur toutes leurs faces) avec l'assaisonnement au gingembre et au romarin. Recourbez le train de côtes levées et poussez-le au fond de la mijoteuse. Couvrez la mijoteuse. Laissez cuire de 9 à 10 heures à faible intensité. (Non, je n'ai rien oublié. Ne mettez pas de liquide dans la mijoteuse ; vous détremperiez les aliments.)

Le temps de cuisson écoulé, mélangez la confiture, la moutarde, le Splenda et la sauce soja. Retirez soigneusement les côtes levées de la mijoteuse. (Elles peuvent se défaire en morceaux parce qu'elles sont très tendres.) Déposez les côtes levées (côté charnu sur le dessus) dans une lèchefrite. Badigeonnez-les de confiture aux abricots. Faites-les griller au four, à environ 7 à 10 cm (3 à 4 po) de la source de chaleur, de 7 à 8 minutes par côté ou jusqu'à ce qu'elles soient bien brunies.

Infos : 3 portions, chacune contenant 689 calories, 56 g de lipides, 40 g de protéines, 4 g de glucides, des traces de fibres alimentaires et 4 g de glucides assimilables.

Côtes levées « au charbon de bois » à la mijoteuse

D'accord, ce n'est pas vraiment grillé au charbon de bois parce que ce n'est pas cuit sur un feu. Cette recette est cependant exquise et vous permet de cuisiner les côtes levées en moins de temps qu'il n'en faut pour franchir une porte.

> 1 kg (2, 2 lb) de côtes levées de porc
> 15 g (2 c. à table) d'assaisonnement classique (page 284) ou d'assaisonnement du commerce
> 80 ml (1/3 tasse) de sauce barbecue Kansas City de Dana (page 279) ou de sauce barbecue faible en glucides du commerce

Saupoudrez généreusement les côtes levées (sur toutes leurs faces) avec l'assaisonnement choisi. Recourbez le train de côtes levées et poussez-le au fond de la mijoteuse. Couvrez la mijoteuse. Laissez cuire de 9 à 10 heures à faible intensité.

Le temps de cuisson écoulé, retirez soigneusement les côtes levées de la mijoteuse. (Elles peuvent se défaire en morceaux parce qu'elles sont très tendres.) Déposez les côtes levées (côté charnu sur le dessus) dans une lèchefrite. Badigeonnez-les de sauce barbecue. Faites-les griller au four, à environ 7 à 10 cm (3 à 4 po) de la source de chaleur, de 7 à 8 minutes par côté ou jusqu'à ce qu'elles soient bien brunies.

NOTE : Pour donner une saveur fumée, vous pouvez acheter de l'arôme de fumée liquide. Badigeonnez les côtes levées de ce liquide avant de les saupoudrer avec l'assaisonnement sec.

Infos : 3 portions, chacune contenant 688 calories, 56 g de lipides, 40 g de protéines, 4 g de glucides, 1 g de fibres alimentaires et 3 g de glucides assimilables. (La valeur en glucides sera un peu différente selon que vous utilisez la sauce barbecue sans sucre faite à la maison ou celle du commerce.)

À propos des os du cou de porc

À moins d'avoir grandi en dégustant la cuisine traditionnelle des Afro-Américains, vous n'avez peut-être jamais goûté aux os du cou de porc. Il s'agit d'une autre coupe de viande qui est parfaite pour la mijoteuse. Cette partie du porc est osseuse, dure et bon marché. Mon épicerie l'offre souvent à 1,65 $ le kilo (75 cents la livre). La chaleur humide et lente de la mijoteuse rend cette viande incroyablement savoureuse et, puisque la viande se détache facilement de l'os, qui se soucie que la coupe soit osseuse ?

J'ai eu un seul problème avec les os du cou de porc : je n'arrive tout simplement pas à trouver des statistiques nutritionnelles sur eux, et ce, même si j'ai écrit à un grand producteur de porcs ! Cependant, vous pouvez considérer que les valeurs en glucides sont précises. Ce sont les valeurs en protéines et en calories que je n'ai pu obtenir et, pour cette raison, vous ne les trouverez pas dans ces recettes d'os du cou.

Ragoût d'os de cou de porc au chou et au navet

Ce repas complet n'est pas très esthétique, mais Dieu qu'il est bon ! Une bonne quantité de sauce Tabasco est essentielle.

> 3 navets coupés en dés
> 1,5 kg (environ 3 lb) d'os de cou de porc charnu
> 5 ml (1 c. à thé) de flocons de piments de Cayenne
> 7,5 g (1 1/2 c. à thé) de sel ou de Vege-Sal
> 720 ml (3 tasses) d'eau
> 1/2 tête de chou coupée en quartiers
> Sauce Tabasco

Déposez les navets au fond de la mijoteuse. Mettez les os du cou sur ces derniers. Saupoudrez les flocons de piments de Cayenne et le sel ou le Vege-Sal. Versez l'eau. Étalez le chou sur le tout.

Couvrez la mijoteuse. Laissez cuire de 7 à 8 heures à faible intensité.

A l'aide d'une cuillère à égoutter, déposez le tout dans un plat de service. Relevez de sauce Tabasco avant de servir.

Infos : 4 portions, chacune contenant 6 g de glucides, 2 g de fibres alimentaires et 4 g de glucides assimilables.

Os du cou et « riz »

J'ai adapté cette recette d'un site Internet sur la cuisine traditionnelle des Afro-Américains. Je n'ai aucune expérience de cette cuisine ; je ne peux donc pas vous dire si le résultat est conforme ou non, mais au moins mon plat avait un excellent goût.

> 2 1/2 lb (1,25 kg) d'os du cou de porc charnu
> 120 ml (1/2 tasse) d'huile végétale
> 1 oignon moyen émincé
> 8 g (1 c. à table) de poudre d'ail
> 5 g (1 c. à thé) de sel ou de Vege-Sal
> 2 g (1 c. à thé) de poivre
> 480 ml (2 tasses) de bouillon de poulet
> 1/2 tête de chou-fleur
> Guar ou xanthane

Dans un grand poêlon épais, à feu moyen-vif, faites brunir le porc dans l'huile ; procédez par petites quantités. Puis, déposez les os du cou dans la mijoteuse.

Ajoutez l'oignon. Saupoudrez la poudre d'ail, le sel ou le Vege-Sal et le poivre sur les ingrédients. Versez le bouillon. Remuez le tout. Couvrez la mijoteuse. Laissez cuire de 6 à 7 heures à faible intensité.

Le temps de cuisson écoulé, hachez le chou-fleur au robot culinaire. Mettez le fleur-riz ainsi obtenu dans un plat allant au micro-ondes muni d'un couvercle. Ajoutez de 30 à 45 ml (2 à 3 c. à table) d'eau. Couvrez et faites cuire au micro-ondes à pleine puissance pendant 7 minutes.

Entre-temps, déposez les os du cou dans un plat de service. Épaississez le jus de cuisson un peu avec le guar ou le xanthane. Servez les os du cou, les oignons et la sauce sur le fleur-riz.

Infos : 3 portions, chacune contenant 7 g de glucides, 1 g de fibres alimentaires et 6 g de glucides assimilables.

Cocido de Puerco

Cette recette de ragoût de porc a été publiée dans *500 recettes à faible teneur en glucides*. Cependant, je n'avais jamais pensé la faire à la mijoteuse ; le résultat est parfait !

> 1,5 kg (environ 3 lb) d'os du cou de porc
> 30 ml (2 c. à table) d'huile d'olive
> 1 petit oignon haché
> 1 gousse d'ail broyée
> 1 poivron vert, coupé en dés
> 2 courgettes moyennes, coupées grossièrement
> 411 g (14 1/2 oz) de tomates en conserve coupées en dés
> 10 ml (2 c. à thé) de cumin
> 10 ml (2 c. à thé) d'origan séché
> 2,5 ml (1/2 c. à thé) de flocons de piments de Cayenne
> 1 gros oignon émincé

Dans un grand poêlon épais, faites brunir les os du cou dans l'huile.

Entre-temps, déposez l'oignon et l'ail au fond de la mijoteuse. Quand les os du cou seront brunis, déposez-les sur le dessus des oignons. Placez le poivron et la courgette sur le tout.

Dans un bol, mélangez les tomates, le cumin, l'origan et les flocons de piments de Cayenne. Versez le mélange dans la mijoteuse. Couvrez la mijoteuse. Laissez cuire de 6 à 7 heures à faible intensité.

Infos : 5 portions, chacune contenant 12 g de glucides, 2 g de fibres alimentaires et 10 g de glucides assimilables.

Poivrons farcis

6 gros poivrons verts
700 g (1 1/2 lb) de chair à saucisse italienne
1/2 tête de chou-fleur
500 g (2 tasses) de sauce à spaghetti sans sucre ajouté
110 g (2/3 tasse) de fromage feta émietté
50 g (1/2 tasse) d'oignon émincé
40 g (1/4 tasse) de tomate hachée
16 g (1/4 tasse) de persil frais haché
12 g (2 c. à table) d'olives noires hachées
1 gousse d'ail broyée
2,5 g (1/2 c. à thé) de sel ou de Vege-Sal
1 g (1 c. à thé) d'assaisonnement à l'italienne
2,5 ml (1/2 c. à thé) de flocons de piments de Cayenne

Coupez les têtes des poivrons, enlevez la tige et gardez la partie comestible. Hachez finement cette dernière. Videz l'intérieur des poivrons et réservez ces coquilles.

Dans un grand poêlon épais, émiettez la chair à saucisse et faites-la cuire jusqu'à ce qu'elle soit bien brunie. Retirez le gras.

Hachez le chou-fleur au robot culinaire. Déposez le fleur-riz ainsi obtenu dans un grand bol.

Ajoutez 240 ml (1 tasse) de sauce à spaghetti dans la mijoteuse. Versez le reste de cette sauce dans le fleur-riz.

Incorporez le fromage, l'oignon, la tomate, le persil, les olives, l'ail, le sel ou le Vege-Sal, l'assaisonnement à l'italienne, le piment de Cayenne, la chair à saucisse cuite et la partie hachée des poivrons au fleur-riz. Mélangez bien le tout. Répartissez le mélange dans les coquilles de poivrons.

Déposez les poivrons farcis dans la mijoteuse. Couvrez la mijoteuse. Laissez cuire de 4 à 5 heures à faible intensité ou jusqu'à ce que les poivrons soient tendres.

Infos : 6 portions, chacune contenant 592 calories, 51 g de lipides, 18 g de protéines, 18 g de glucides, 5 g de fibres alimentaires et 13 g de glucides assimilables.

Côtelettes de porc acidulées

2 kg (4 1/2 lb) de côtelettes de porc de 1,25 cm (1/2 po)
   d'épaisseur
2,5 g (1/2 c. à thé) de sel ou de Vege-Sal
0,5 g (1/4 c. à thé) de poivre
50 g (1/2 tasse) d'oignon haché
2 branches de céleri coupées en dés
1 poivron vert coupé en dés
411 g (14 1/2 oz) de tomates en conserve, coupées en dés
120 ml (1/2 tasse) de ketchup sans sucre de Dana (page 276)
   ou de ketchup faible en glucides du commerce
30 ml (2 c. à table) de vinaigre de cidre
30 g (2 c. à table) de sauce Worcestershire
3 g (2 c. à table) de Splenda
1,25 ml (1/4 c. à thé) de mélasse noire
15 ml (1 c. à table) de jus de citron
5 ml (1 c. à thé) de bouillon de bœuf concentré
Guar ou xanthane

Déposez le porc au fond de la mijoteuse. Saupoudrez le porc avec le sel et le poivre. Ajoutez l'oignon, le céleri, le poivron et les tomates.

Dans un bol, mélangez le ketchup, le vinaigre, la sauce Worcestershire, le Splenda, la mélasse, le jus de citron et le concentré. Remuez jusqu'à ce que le bouillon soit dissous. Versez le mélange dans la mijoteuse. Couvrez la mijoteuse. Laissez cuire de 5 à 6 heures à faible intensité.

Le temps de cuisson écoulé, placez le porc dans un plat de service. À l'aide d'une cuillère à égoutter, disposez les légumes autour du porc. Épaississez le jus de cuisson avec le guar ou le xanthane. Servez la sauce avec le porc et les légumes.

Infos : 8 portions, chacune contenant 396 calories, 23 g de lipides, 36 g de protéines, 11 g de glucides, 1 g de fibres alimentaires et 10 g de glucides assimilables.

Côtelettes de porc à la moutarde et à l'oignon

1 kg (2,2 lb) de côtelettes de porc
15 ml (1 c. à table) d'huile d'olive
1 oignon moyen finement émincé
4 gousses d'ail broyées
3 g (1 c. à thé) de moutarde sèche
2,5 g (1/2 c. à thé) de sel ou de Vege-Sal
2 g (1 c. à thé) de poivre
1 trait de sauce épicée
15 ml (1 c. à table) de vinaigre de cidre
120 ml (1/2 tasse) de vin blanc sec
30 g (2 c. à table) de moutarde brune
120 ml (1/2 tasse) de crème fraîche 35 % M.G.
Guar ou xanthane

Dans un grand poêlon épais, à feu moyen-vif, faites brunir le porc des deux côtés dans l'huile. Puis, déposez-le dans la mijoteuse.

Réduisez le feu à intensité moyenne-douce. Faites sauter l'oignon jusqu'à ce qu'il soit transparent. Ajoutez par la suite l'ail, la moutarde sèche, le sel ou le Vege-Sal, le poivre et la sauce épicée. Faites sauter de nouveau pendant environ minute. Versez le mélange dans la mijoteuse.

Dans un bol, mélangez le vinaigre et le vin. Versez aussi ce mélange dans la mijoteuse. Couvrez la mijoteuse. Laissez cuire 6 heures à faible intensité.

Le temps de cuisson écoulé, placez le porc dans un plat de service. Incorporez la moutarde et la crème au jus de cuisson. Épaississez quelque peu le jus de cuisson avec le guar ou le xanthane. Servez la sauce sur le porc.

Infos : 6 portions, chacune contenant 352 calories, 25 g de lipides, 25 g de protéines, 4 g de glucides, 1 g de fibres alimentaires et 3 g de glucides assimilables.

Choucroute garnie

C'est une version à la vapeur d'un plat traditionnel de la région de l'Alsace, en France. Ce plat est simple à faire et délicieux, particulièrement lorsque la soirée est froide.

- 400 g (14 oz) de choucroute en conserve, rincée et égouttée
- 15 ml (1 c. à table) de graisse de bacon
- 60 ml (1/4 tasse) de vinaigre de cidre
- 1,5 g (1 c. à table) de Splenda
- 1/2 oignon moyen émincé
- 30 ml (2 c. à table) de gin
- 60 ml (1/4 tasse) de vin blanc sec
- 455 g (1 lb) de viande (choisissez n'importe quelle combinaison de kielbasa, saucisses fumées, saucisses de Francfort, tranches de jambon de 0,6 cm (1/4 po) d'épaisseur ou côtelettes de porc fumé). J'utilise toujours les viandes qui sont les plus faibles en glucides.

Déposez la choucroute dans la mijoteuse. Ajoutez la graisse de bacon, le vinaigre, le Splenda, l'oignon, le gin et le vin. Remuez le tout. Déposez la viande sur la choucroute. Couvrez la mijoteuse. Laissez cuire de 5 à 6 heures à faible intensité.

NOTE : Cette recette est loin de remplir ma mijoteuse ; alors,
n'hésitez pas à la doubler, voire à la tripler. Si c'est ce que vous ferez,
je vous suggère de commencer par une couche de choucroute
surmontée d'une couche de viande, et de poursuivre de la même
façon pour les autres couches. Il va sans dire que, dépendamment du
nombre de couches supplémentaires, vous devrez augmenter le
temps de cuisson (1 ou 2 heures).

Infos : 3 portions, chacune contenant 112 calories, 5 g de lipides,
1 g de protéines, 9 g de glucides, 4 g de fibres alimentaires et 5 g
de glucides assimilables. (L'analyse nutritionnelle variera en
fonction des viandes que vous utiliserez.)

CHAPITRE SIX

L'agneau

Dans ce chapitre, vous remarquerez un fréquent recours aux jarrets d'agneau comme ingrédient de base des recettes. Ces derniers, la partie la plus basse d'une patte d'agneau, sont idéaux pour la cuisson à la mijoteuse. En effet, ils tiennent facilement dans le pot et constituent ce type de viande dure et savoureuse qui fait des merveilles grâce à une cuisson lente à la vapeur.

Si vous avez de la difficulté à trouver des jarrets d'agneau à votre épicerie, demandez au boucher d'en commander pour vous. Sinon, utilisez une grosse pièce de patte ou d'épaule d'agneau du même poids que vous couperez en morceaux afin que ces derniers entrent facilement dans le pot en grès. Ainsi, le temps de cuisson sera similaire à celui indiqué dans les recettes de jarrets d'agneau. La plupart des épiceries se feront un plaisir de découper une pièce d'agneau pour vous, et ce, sans aucuns frais.

Jarret d'agneau au vin rouge

Un repas complet et très réconfortant.

> 2,5 kg (5 lb) de jarret d'agneau (4 jarrets)
> 60 ml (1/4 tasse) d'huile d'olive
> 2 branches de céleri coupées en tranches de 1,25 cm (1/2 po)
>   d'épaisseur
> 2 carottes coupées en rondelles de 1,25 cm (1/2 po) d'épaisseur
> 8 gousses d'ail broyées
> 1/2 oignon coupé en quartiers
> 225 g (8 oz) de champignons tranchés
> 240 ml (1 tasse) de bouillon de poulet
> 240 ml (1 tasse) de vin rouge sec
> 5 ml (1 c. à thé) de bouillon de bœuf concentré
> 4 g (2 c. à thé) de poivre
> 2,5 ml (1/2 c. à thé) de romarin moulu
> 2 feuilles de laurier
> Guar ou xanthane

Dans un grand poêlon épais, saisissez l'agneau dans l'huile.

Déposez le céleri, les carottes, l'ail, l'oignon et les champignons dans la mijoteuse.
Lorsque l'agneau est bien bruni, déposez-le dans la mijoteuse avec les légumes.

Dans un bol, mélangez le bouillon, le vin, le concentré, le poivre et le romarin. Versez ce mélange sur l'agneau. Ajoutez les feuilles de laurier. (Assurez-vous qu'elles tombent dans le liquide !) Couvrez la mijoteuse. Laissez cuire 6 heures à faible intensité.

Le temps de cuisson écoulé, placez l'agneau dans un plat de service. Épaississez le jus de cuisson avec le guar ou le xanthane jusqu'à l'obtention d'une consistance crémeuse. Versez la sauce et étalez les légumes sur l'agneau.

Infos : 6 portions, chacune contenant 757 calories, 50 g de lipides, 59 g de protéines, 8 g de glucides, 2 g de fibres alimentaires et 6 g de glucides assimilables.

Jarret d'agneau au citron

Le citron fait ressortir toute la saveur de l'agneau !

> 2 kg (4 1/2 lb) de jarret d'agneau
> 30 ml (2 c. à table) d'huile d'olive
> 2 g (1 c. à thé) de poivre au citron
> 1,5 g (1/2 c. à thé) de moutarde sèche
> 120 ml (1/2 tasse) de bouillon de poulet
> 5 ml (1 c. à thé) de bouillon de bœuf concentré
> 2,5 ml (1/2 c. à thé) de zeste de citron râpé
> 30 ml (2 c. à table) de jus de citron
> 5 ml (1 c. à thé) de romarin séché
> 2 gousses d'ail broyées
> Guar ou xanthane

Saisissez l'agneau dans l'huile. Déposez l'agneau dans la mijoteuse.

Dans un bol, mélangez le poivre au citron et la moutarde sèche. Saupoudrez le mélange sur l'agneau en le répartissant également.

Dans le même bol, mélangez le bouillon de poulet, le concentré de boeuf, le zeste de citron, le jus de citron, le romarin et l'ail. Versez ce mélange sur l'agneau. Couvrez la mijoteuse. Laissez cuire 8 heures à faible intensité.

Le temps de cuisson écoulé, retirez l'agneau. Épaississez le jus de cuisson dans la mijoteuse à l'aide du guar ou du xanthane.

Servez ce plat avec une salade contenant beaucoup de concombres et de tomates !

Infos : 6 portions, chacune contenant 535 calories, 37 g de lipides, 46 g de protéines, 1 g de glucides, des traces de fibres alimentaires et 1 g de glucides assimilables.

Jarret d'agneau à la cachemirienne

C'était à l'origine une recette pour préparer l'agneau au curry dans une poêle à frire, mais elle donne d'excellents résultats à la mijoteuse. Si vous aimez la cuisine indienne, vous devez essayer ce plat. Si vous ne la connaissez pas, vous devriez vous y mettre !

> 2 1/2 lb (1,25 kg) de jarret d'agneau
> 30 ml (2 c. à table) d'huile d'olive
> 240 ml (1 tasse) de bouillon de poulet
> 2,5 ml (1/2 c. à thé) de bouillon de bœuf concentré
> 5 ml (1 c. à thé) de garam masala (page 287) ou de garam
>   masala du commerce
> 3 g (2 c. à thé) de coriandre moulue
> 8 g (1 c. à table) de racine de gingembre râpée
> 0,5 g (1/4 c. à thé) de Cayenne
> Guar ou xanthane

Dans un grand poêlon épais, à feu moyen-vif, saisissez l'agneau dans l'huile. Déposez l'agneau dans la mijoteuse.

Dans un bol, mélangez le bouillon, le concentré, le garam masala, la coriandre, le gingembre et le Cayenne. Versez ce mélange sur l'agneau. Couvrez la mijoteuse. Laissez cuire 8 heures à faible intensité.

Placez l'agneau dans un plat de service. Épaississez la sauce quelque peu avec le guar ou le xanthane. Nappez l'agneau de sauce. Servez.

Infos : 4 portions, chacune contenant 530 calories, 38 g de lipides, 44 g de protéines, 1 g de glucides, des traces de fibres alimentaires et 1 g de glucides assimilables.

Jarret d'agneau vraiment simple

Simple veut parfois dire très bon !

> 1,5 kg (environ 3 lb) de jarret d'agneau
> 30 ml (2 c. à table) d'huile d'olive
> 240 ml (1 tasse) de bouillon de poulet
> 5 ml (1 c. à thé) de bouillon de bœuf concentré
> 6 g (2 c. à thé) de paprika
> 5 gousses d'ail broyées
> Guar ou xanthane

Assaisonnez l'agneau avec du sel et du poivre. Dans un grand poêlon épais, à feu moyen-vif, faites brunir l'agneau dans l'huile. Déposez l'agneau dans la mijoteuse.

Dans un bol, mélangez le bouillon de poulet et le concentré. Versez ce mélange sur l'agneau. Saupoudrez le paprika et l'ail sur l'agneau. Couvrez la mijoteuse. Laissez cuire de 6 à 7 heures à faible intensité.

À l'aide de pinces, retirez l'agneau et déposez-le dans un plat de service. Versez le liquide dans une tasse en verre de 480 ml

(2 tasses) et laissez le gras remonter à la surface. Retirez le gras et jetez-le. Épaississez le jus de cuisson avec le guar ou le xanthane. Servez la sauce avec l'agneau.

Le fleur-riz (page 290) ou les fauxtates (page 291) font de merveilleux accompagnements, mais une salade ou un légume font aussi l'affaire.

Infos : 4 portions, chacune contenant 627 calories, 44 g de lipides, 52 g de protéines, 2 g de glucides, des traces de fibres alimentaires et 2 g de glucides assimilables.

Ragoût d'agneau à la provençale

J'ai présenté cette recette à ma sœur pour qu'elle me donne son appréciation. Elle raffole de la cuisine française, particulièrement celle de Provence. Elle a donné un 10/10 à cette recette !

1,5 kg (environ 3 lb) de viande d'agneau à ragoût, par exemple dans l'épaule, coupée en cubes. (Faites enlever l'os par le boucher.)
45 ml (3 c. à table) d'huile d'olive
1 bulbe de fenouil entier, coupé dans le sens de la longueur
1 oignon moyen, coupé en petits quartiers
4 gousses d'ail broyées
1 feuille de laurier
5 ml (1 c. à thé) de romarin séché, avec les aiguilles entières
425 g (15 oz) de fèves de soja noir en conserve, égouttées
240 ml (1 tasse) de bouillon de bœuf
5 ml (1 c. à thé) de bouillon de poulet concentré
2,5 ml (1/2 c. à thé) de basilic séché
2,5 ml (1/2 c. à thé) de marjolaine séchée
2,5 ml (1/2 c. à thé) de sarriette séchée
0,5 g (1/2 c. à thé) de thym séché
Guar ou xanthane

Assaisonnez l'agneau avec le sel et le poivre. Dans un grand poêlon épais, à feu moyen-vif, faites brunir l'agneau dans l'huile.

Déposez le fenouil, l'oignon et l'ail au fond de la mijoteuse. Ajoutez la feuille de laurier et le romarin. Déposez les fèves de soja sur le tout. Lorsque l'agneau est bien bruni, déposez-le sur les légumes.

Dans un bol, mélangez le bouillon de bœuf, le bouillon de poulet concentré, le basilic, la marjolaine, la sarriette et le thym. Versez ce mélange sur l'agneau. Couvrez la mijoteuse. Laissez cuire de 8 à 9 heures à faible intensité.

Le temps de cuisson écoulé, épaississez le liquide à l'aide du guar ou du xanthane jusqu'à l'obtention d'une consistance crémeuse.

Infos : 8 portions, chacune contenant 348 calories, 17 g de lipides, 41 g de protéines, 8 g de glucides, 4 g de fibres alimentaires et 4 g de glucides assimilables.

Agneau à l'antillaise

L'agneau et la chèvre sont très populaires dans les Caraïbes. Cette recette est une adaptation pour la mijoteuse d'un plat d'agneau des Caraïbes. Cherchez le concentré de tamarin dans une épicerie spécialisée. Si vous ne le trouvez pas, utilisez 15 ml (1 c. à table) de jus de citron et 5 ml (1 c. à thé) de Splenda. Votre agneau sera moins antillais, mais toujours aussi délicieux.

1 à 1,5 kg (2 à 3 1/2 lb) de patte d'agneau
1/2 oignon moyen haché
2,5 ml (1/2 c. à thé) d'ail émincé ou 1 gousse d'ail broyée
5 ml (1 c. à thé) de concentré de tamarin
15 g (1 c. à table) de moutarde brune épicée
260 g (1 tasse) de tomates en conserve, coupées en dés
5 ml (1 c. à thé) (ou selon le goût) de sauce épicée — de
   préférence la sauce Scotch Bonnet
Guar ou xanthane (facultatif)

Déposez l'agneau dans la mijoteuse.

Dans un bol, mélangez l'oignon, l'ail, le tamarin, la moutarde, les tomates et la sauce épicée.

Versez ce mélange sur l'agneau. Couvrez la mijoteuse. Laissez cuire 8 heures à faible intensité.

Lorsque la cuisson est terminée, déposez l'agneau dans un plat de service. Au besoin, épaississez le jus de cuisson avec le guar ou le xanthane. Salez et poivrez.

Infos : 6 portions, chacune contenant 357 calories, 26 g de lipides, 27 g de protéines, 3 g de glucides, 1 g de fibres alimentaires et 2 g de glucides assimilables.

CHAPITRE SEPT

Les poissons
et les fruits de mer

Je ne pense habituellement pas au poisson en termes de cuisson lente et prolongée. D'ailleurs, qui voudrait laisser un poisson dans la mijoteuse toute la journée ? Une utilisation judicieuse de la cuisson douce et uniforme à la mijoteuse peut pourtant rendre votre poisson tendre et juteux. Essayez ces recettes lorsque vous aurez un peu de temps devant vous pour préparer le repas !

Ou encore, comme le suggèrent certaines recettes, vous pouvez n'ajouter les fruits de mer qu'au dernier moment, après avoir fait cuire le reste durant toute la journée. De toute façon, il ne faut pas beaucoup de temps pour cuire les poissons et les fruits de mer !

Coquilles Saint-Jacques à la lime

Mon mari, amateur de fruits de mer, pense que ces coquilles Saint-Jacques font partie des meilleures qu'il ait goûtées.

> 60 ml (1/4 tasse) de jus de lime
> 45 g (3 c. à table) de beurre
> 2 gousses d'ail
> 680 g (24 oz) de pétoncles
> Guar ou xanthane
> 5 g (1/4 tasse) de feuilles de coriandre fraîches, hachées

Mettez le jus de lime, le beurre et l'ail dans la mijoteuse. Couvrez la mijoteuse. Laissez cuire 30 minutes à forte intensité.

Découvrez la mijoteuse et remuez son contenu. Ajoutez les pétoncles. Remuez de nouveau pour les enduire de sauce. Étendez les pétoncles au fond de la mijoteuse de façon à n'avoir qu'une seule couche. (Si la sauce semble se ramasser dans un ou deux coins, essayez d'y tasser les pétoncles. Dans mon pot, la sauce a tendance à se ramasser sur les bords.) Couvrez la mijoteuse. Laissez cuire 45 minutes à forte intensité.

Le temps de cuisson écoulé, déposez les pétoncles dans les plats de service. Épaississez légèrement le liquide avec le guar ou le xanthane. Versez-le sur les coquilles Saint-Jacques. Parsemez chaque portion de 15 ml (1 c. à table) de coriandre.

Infos : 4 portions, chacune contenant 233 calories, 10 g de lipides, 29 g de protéines, 6 g de glucides, des traces de fibres alimentaires et 6 g de glucides assimilables.

Darnes de saumon à la moutarde et au citron

Une recette classique et si facile à réaliser. Le saumon devient tendre et juteux.

> 28 g (2 c. à table) de beurre
> 15 ml (1 c. à table) de jus de citron
> 5 ml (1 c. à thé) de moutarde de Dijon
> 1 pincée de sel ou de Vege-Sal
> 2 darnes de saumon d'environ 225 g chacune (1/2 lb)
> 8 g (2 c. à table) de persil frais haché

Mélangez le beurre, le jus de citron, la moutarde et le sel ou le Vege-Sal dans la mijoteuse.

Couvrez la mijoteuse. Laissez cuire de 30 à 40 minutes à faible intensité. Remuez le mélange.

Le temps de cuisson écoulé, déposez les darnes de saumon dans la mijoteuse. Tournez-les à une ou deux reprises pour bien les enduire de sauce. Couvrez la mijoteuse. Laissez cuire 1 heure. Nappez le saumon de sauce et saupoudrez-le de persil. Servez.

Infos : 2 portions, chacune contenant 369 calories, 19 g de lipides, 46 g de protéines, 1 g de glucides, des traces de fibres alimentaires et 1 g de glucides assimilables.

Saumon à l'érable et au vinaigre balsamique

Cette recette, originellement conçue pour le saumon grillé et publiée dans *Le livre du barbecue*, donne aussi d'excellents résultats à la mijoteuse.

2 darnes de saumon d'environ 225 g chacun (1/2 lb)
15 ml (1 c. à table) d'huile d'olive
60 g (2 c. à table) de sirop à crêpes (sans sucre)
1 gousse d'ail broyée
15 ml (1 c. à table) de vinaigre balsamique

Mélangez tous les ingrédients dans la mijoteuse, sauf le saumon. Couvrez la mijoteuse. Laissez cuire 30 minutes à faible intensité.

Le temps de cuisson écoulé, ajoutez les darnes de saumon. Tournez-les à une ou deux reprises pour bien les enduire de sauce. Couvrez la mijoteuse. Laissez cuire 1 heure. Nappez les darnes de sauce. Servez.

Infos : 2 portions, chacune contenant 326 calories, 15 g de lipides, 45 g de protéines, 1 g de glucides, des traces de fibres alimentaires et 1 g de glucides assimilables.

Sole farcie aux amandes et beurre à l'orange

55 g (4 c. à table) de beurre
30 ml (2 c. à table) de jus de citron
0,75 ml (1/8 c. à thé) d'extrait d'orange
1 g (1 c. à thé) de Splenda
145 g (1/3 tasse) d'amandes
40 g (1/4 tasse) d'oignon émincé
1 gousse d'ail broyée
7,5 ml (1 1/2 c. à thé) de moutarde de Dijon
2,5 ml (1/2 c. à thé) de sauce soja
16 g (1/4 tasse) de persil frais haché
4 filets de sole de 115 g (4 oz) chacun ou 455 g (1 lb)

Mélangez 28 g (2 c. à table) de beurre, le jus de citron, l'extrait d'orange et le Splenda dans la mijoteuse. Couvrez la mijoteuse. Laissez-la fonctionner à faible intensité pendant que vous préparez vos rouleaux de sole.

Dans un robot culinaire muni d'une lame en « S », broyez les amandes. Dans un poêlon épais, de taille moyenne, faites fondre 14 g (1 c. à table) de beurre. Déposez-y les amandes moulues. À feu moyen, remuez-les amandes de 5 à 7 minutes ou jusqu'à ce qu'elles soient légèrement grillées. Réservez-les dans un bol.

Faites fondre le reste du beurre dans le poêlon. À feu moyen-bas, faites sauter l'oignon et l'ail jusqu'à ce que l'oignon devienne translucide. Ajoutez cette préparation aux amandes. Mélangez bien. Ajoutez maintenant la moutarde, la sauce soja et 8 g (2 c. à table) de persil.

Étendez les filets de sole dans un grand plat et répartissez le mélange d'amandes sur chacun d'eux. Roulez les filets sur eux-mêmes et fixez-les à l'aide d'un cure-dent.

Retirez le couvercle de la mijoteuse. Remuez la sauce. Déposez les rouleaux de sole dans la mijoteuse et nappez-les de sauce à l'aide d'une cuillère. Couvrez la mijoteuse. Laissez les rouleaux cuire 1 heure. Avant de servir, nappez de nouveau les rouleaux de sauce et saupoudrez avec le reste du persil.

Infos : 4 portions, chacune contenant 285 calories, 19 g de lipides, 24 g de protéines, 5 g de glucides, 2 g de fibres alimentaires et 3 g de glucides assimilables.

Crevettes aigres-douces

Le fait d'ajouter les crevettes et les pois mange-tout au dernier moment de la cuisson les empêchera de trop cuire.

220 g (1 tasse) de pêches pelées et coupées en cubes (des pêches non sucrées surgelées font très bien l'affaire ; coupez-les en petits morceaux de 1,25 cm ou 1/2 po
50 g (1/2 tasse) d'oignon haché
1 poivron vert coupé en dés
60 g (1/2 tasse) de céleri haché
120 ml (1/2 tasse) de bouillon de poulet
30 ml (2 c. à table) d'huile de sésame foncée
60 ml (1/4 tasse) de sauce soja
30 ml (2 c. à table) de vinaigre de riz
60 ml (1/4 tasse) de jus de citron
5 ml (1 c. à thé) de flocons de piments de Cayenne
1,5 g (1 c. à table) de Splenda
170 g (6 oz) de pois mange-tout nettoyés et coupés
700 g (1 1/2 lb) de crevettes décortiquées
95 g (1/3 tasse) d'amandes effilées grillées
Guar ou xanthane

Mélangez les pêches, l'oignon, le poivron, le céleri, le bouillon, l'huile de sésame, la sauce soja, le vinaigre, le jus de citron, les flocons de piments de Cayenne et le Splenda dans la mijoteuse. Couvrez la mijoteuse. Laissez cuire 4 heures à faible intensité (ou 2 heures à forte intensité).

Le temps de cuisson écoulé, réglez la mijoteuse à forte intensité pendant que vous coupez les pois mange-tout en morceaux de 2,5 cm (1 po). Incorporez ces derniers au contenu de la mijoteuse et laissez cuire de 15 à 20 minutes. Puis, ajoutez les crevettes. Si elles sont crues, faites-les cuire 10 minutes ou jusqu'à ce qu'elles aient une coloration rosée. Si elles sont déjà cuites, faites-les réchauffer pendant environ 5 minutes.

Pour combler les « glucidovores » de la famille, ce plat peut être servi sur du riz. Autrement, vous pouvez le servir sur du fleur-riz (page 290). Pour ma part, je ne le mange qu'avec quelques amandes puisqu'il contient déjà suffisamment de glucides.

Infos : 6 portions, chacune contenant 257 calories, 11 g de lipides, 27 g de protéines, 13 g de glucides, 3 g de fibres alimentaires et 10 g de glucides assimilables.

Casserole de fruits de mer du garde-manger

C'est recette est fort pratique ! Elle utilise, comme son nom le suggère, les fruits de mer que vous avez sous la main dans votre garde-manger. Si par contre vous avez des fruits de mer surgelés, vous pouvez vous en servir en ajoutant 30 minutes au temps de cuisson suggéré ; ainsi, ils dégèleront et seront bien cuits.

35 g (1/4 tasse) de poivrons rouges rôtis en conserve dans l'huile, coupés en petits dés
20 g (1/3 tasse) de persil haché
110 g (1/2 tasse) de champignons hachés
180 ml (3/4 tasse) de bouillon de poulet
180 ml (3/4 tasse) de vin blanc sec
20 g (2 c. à table) d'oignon haché
10 ml (2 c. à thé) d'aneth séché
1,5 g (1/2 c. à thé) de paprika
2,5 ml (1/2 c. à thé) de sauce Tabasco
240 ml (1 tasse) de breuvage au lait Carb Countdown
60 ml (1/4 tasse) de crème fraîche 35 % M.G.
Guar ou xanthane
170 g (6 oz) de thon en conserve, égoutté
170 g (6 oz) de crabe en conserve, égoutté
170 g (6 oz) de crevettes en conserve, égouttées

Mélangez les poivrons rôtis, le persil, les champignons, le bouillon, le vin, l'oignon, l'aneth, le paprika et la sauce Tabasco dans la mijoteuse. Couvrez la mijoteuse. Laissez cuire de 3 à 4 heures à faible intensité.

Le temps de cuisson écoulé, incorporez le Carb Countdown et la crème. Au besoin, épaississez avec le guar ou le xanthane. Ajoutez le thon, le crabe et les crevettes. Laissez cuire 15 à 20 minutes de plus.

Maintenant, vous avez le choix : vous pouvez considérer ce plat comme un potage épais ou le servir sur du fleur-riz (page 290), des pâtes faibles en glucides ou de la courge spaghetti.

Infos : 4 portions, chacune contenant 269 calories, 9 g de lipides, 33 g de protéines, 4 g de glucides, 1 g de fibres alimentaires et 3 g de glucides assimilables.

CHAPITRE HUIT

Les plats échappant à une classification systématique

Il est parfois difficile d'organiser l'information dans un livre de cuisine. Par exemple, les recettes présentées dans ce chapitre ont rendu presque impossible mon projet de diviser ce livre en fonction des sources protéiques. Après les avoir classées, déplacées et replacées, j'ai rendu les armes pour finalement leur consacrer un chapitre particulier.

Pain de viande

La recette traditionnelle du pain de viande est facile à réaliser, mais quelque peu fastidieuse ! En effet, il doit cuire au moins une heure au four. Pour cette raison, plusieurs ont abandonné l'idée de l'avoir au menu un soir de semaine. Consolez-vous, la cuisson à la mijoteuse donne un remarquable résultat même si le pain de viande ne brunit pas beaucoup.

> 455 g (1 lb) de bœuf haché
> 455 g (1 lb) de saucisse de porc
> 1 oignon moyen finement haché
> 1 poivron vert moyen finement haché
> 25 g (1/4 tasse) de son d'avoine
> 1 g (1/2 c. à thé) de poivre
> 2,5 g (1/2 c. à thé) de sel ou de Vege-Sal
> 30 g (2 c. à table) de sauce Worcestershire
> 2 œufs
> 60 g (1/2 tasse) de miettes de couenne de porc (broyez la couenne au robot culinaire)

À l'aide de vos mains, préalablement lavées, mélangez tous les ingrédients dans un grand bol jusqu'à l'obtention d'une consistance homogène.

Placez un support ou une marguerite dans le fond de la mijoteuse. Pliez deux carrés de papier d'aluminium pour former des bandes et disposez-les en croix sur le support ou la marguerite en les faisant remonter le long de la mijoteuse. (Ce que vous fabriquez est un outil qui vous aidera à sortir le pain de viande de la mijoteuse.) Si les trous du support sont trop grands, mettez une feuille de papier d'aluminium sur les bandes entrecroisées et percez-en la surface à l'aide d'une fourchette.

Placez le mélange de viande sur le fond d'aluminium puis, avec les mains humides, façonnez-le en forme de dôme. Couvrez la mijoteuse. Laissez cuire de 9 à 12 heures à faible intensité.

Utilisez les bandes de papier d'aluminium pour soulever le pain de viande hors de la mijoteuse.

Infos : 8 portions, chacune contenant 438 calories, 36 g de lipides, 23 g de protéines, 6 g de glucides, 1 g de fibres alimentaires et 5 g de glucides assimilables.

Pain de viandes mélangées de Morty

Le mélange des viandes rend ce pain de viande absolument savoureux.

2 tranches de bacon cuit, émiettées

455 g (1 lb) de bœuf haché

455 g (1 lb) de porc haché

455 g (1 lb) de dinde hachée

3 branches de céleri finement hachées

30 g (1/2 tasse) de persil frais finement haché

120 ml (1/2 tasse) de ketchup sans sucre de Dana (page 276) ou de ketchup faible en glucides du commerce

5 ml (1 c. à thé) de sauce épicée

2 œufs

60 g (1/2 tasse) de miettes de couenne de porc barbecue (broyez la couenne au robot culinaire)

30 ml (2 c. à table) de sauce Worcestershire

5 ml (1 c. à thé) de jus de citron

2,5 ml (1/2 c. à thé) de marjolaine séchée

5 g (1 c. à thé) de sel ou de Vege-Sal

1 g (1/2 c. à thé) de poivre

Placez un support ou une marguerite dans le fond de la mijoteuse. Pliez deux carrés de papier d'aluminium pour former des bandes et disposez-les en croix sur le support ou la marguerite en les faisant remonter le long de la mijoteuse. (Ce que vous fabriquez est un outil qui vous aidera à sortir le pain de viande de la mijoteuse.) Si les trous du support sont trop grands, mettez une feuille de papier d'aluminium sur les bandes entrecroisées et percez-en la surface à l'aide d'une fourchette.

À l'aide de vos mains, préalablement lavées, mélangez tous les ingrédients dans un grand bol jusqu'à l'obtention d'une consistance homogène. Placez le mélange de viande sur le fond d'aluminium puis, avec les mains humides, façonnez-le en forme de dôme. Couvrez la mijoteuse. Laissez cuire de 8 à 10 heures à faible intensité.

Utilisez les bandes de papier d'aluminium pour soulever le pain de viande hors de la mijoteuse.

Infos : 8 portions, chacune contenant 453 calories, 30 g de lipides, 37 g de protéines, 7 g de glucides, 2 g de fibres alimentaires et 5 g de glucides assimilables.

Ragoût à pizza

Voici un repas à la mijoteuse à préparer lorsque votre famille a une envie irrésistible de pizza. Maria a perfectionné cette recette, qui n'était pas tout à fait au point la première fois que je l'ai faite. Maria m'a fait part de ses suggestions ; nous les avons adoptées et le succès était nôtre !

455 g (1 lb) de chair à saucisse italienne
455 g (1 lb) de bœuf haché
1 poivron vert, coupé en dés
25 g (1/4 tasse) d'oignon, coupé en cubes
415 ml (14 oz) de sauce à pizza sans sucre ajouté (Ragu en fabrique une)
220 g (2 tasses) de fromage mozzarella râpé
40 g (1/2 tasse) de fromage parmesan râpé

Dans un grand poêlon épais, faites brunir la chair à saucisse et le bœuf haché en les émiettant. Égouttez bien la viande. Transférez-la dans la mijoteuse. Ajoutez le poivron et l'oignon. Remuez bien le mélange. Ajoutez la sauce à pizza. Couvrez la mijoteuse. Laissez cuire de 5 à 6 heures à faible intensité.

Enlevez le couvercle de la mijoteuse et parsemez le ragoût de fromage mozzarella. Couvrez de nouveau. Laissez cuire 30 à 45 minutes de plus pour faire fondre le fromage. Servez en saupoudrant chaque portion de fromage parmesan.

Infos : 6 portions, chacune contenant 626 calories, 49 g de lipides, 37 g de protéines, 8 g de glucides, 2 g de fibres alimentaires et 6 g de glucides assimilables.

Paella

Maria, qui a testé cette recette, lui a donné un pointage de 10/10. Elle a ajouté : « Même si ce plat ne pourrait pas mystifier un puriste, sa saveur est remarquable. » Pour ceux qui ne peuvent s'offrir de safran, le curcuma est un substitut acceptable. Pour une présentation authentique, ce qui est important, déposez le riz dans une casserole à paella ou plate. Mélangez-le avec les légumes et disposez le poulet et les crevettes artistiquement sur le sommet. Cherchez des chorizo espagnols plutôt que mexicains pour ce plat.

> 6 cuisses de poulet complètes, soit 1,5 kg (environ 3 lb)
> 60 ml (1/4 tasse) d'huile d'olive
> 100 g (1 tasse) d'oignon haché
> 1 gousse d'ail broyée
> 1 poivron vert
> 170 g (6 oz) de chorizo (saucisse) ou de jambon coupé en dés
> 411 g (14 1/2 oz) de quartiers de tomates en conserve, égouttés
> 2,5 ml (1/2 c. à thé) de safran
> 240 ml (1 tasse) de bouillon de poulet
> 5 ml (1 c. à thé) de bouillon de poulet concentré
> 170 g (6 oz) de crevettes
> 40 g (1/2 tasse) de pois mange-tout coupés en morceaux de 1,25 cm (1/2 po)
> 1 tête de chou-fleur

Dans un grand poêlon épais, faites dorer le poulet dans l'huile.

Entre-temps, déposez l'oignon, l'ail et le poivron dans la mijoteuse. Quand le poulet est bien doré, transférez-le dans la mijoteuse.

Si vous utilisez le chorizo, tranchez-le en rondelles et faites-le brunir dans le même poêlon. Puis, déposez-le dans la mijoteuse. Si vous utilisez le jambon, vous pouvez l'ajouter directement dans la mijoteuse. Placez les tomates sur le dessus des ingrédients.

Dans un bol, mélangez le safran, le bouillon et le concentré. Versez ce mélange dans la mijoteuse. Couvrez la mijoteuse. Laissez cuire 6 heures à faible intensité.

Le temps de cuisson écoulé, réglez la mijoteuse à forte intensité. Ajoutez-y les crevettes et les pois mange-tout. Couvrez la mijoteuse. Laissez cuire 30 minutes de plus.

Pendant ce temps, hachez le chou-fleur au robot culinaire. Déposez-le dans un plat allant au micro-ondes et muni d'un couvercle. Ajoutez quelques cuillères à table d'eau. Couvrez et faites cuire au micro-ondes à puissance maximale de 8 à 9 minutes. Servez avec la paella.

Infos : 8 portions, chacune contenant 599 calories, 42 g de lipides, 46 g de protéines, 8 g de glucides, 1 g de fibres alimentaires et 7 g de glucides assimilables.

Albondigas en salsa chipotle

Boulettes de viandes à la mexicaine. Quel délice !

1/2 oignon moyen haché
15 ml (1 c. à table) d'huile végétale
5 ml (1 c. à thé) de cumin moulu
1,5 g (1 c. à thé) de coriandre moulue
3 gousses d'ail broyées
5 ml (1 c. à thé) d'origan séché
1 g (1 c. à thé) de thym séché
411 g (14 1/2 oz) de tomates en conserve avec piments verts,
   égouttées
240 ml (1 tasse) de bouillon de poulet
2,5 ml (1/2 c. à thé) de bouillon de poulet concentré
1 chipotle en conserve dans la sauce adobo, ou plus au goût
455 g (1 lb) de bœuf haché
455 g (1 lb) de dinde hachée
1 œuf
2 g (1 c. à thé) de poivre
2,5 ml (1/2 c. à thé) de piment de la Jamaïque moulu
2,5 ml (1/2 c. à thé) de cumin moulu
0,75 g (1/2 c. à thé) de coriandre moulue
5 ml (1 c. à thé) d'origan séché
10 g (2 c. à thé) de sel ou de Vege-Sal
1/2 oignon moyen finement haché
3 gousses d'ail broyées
30 ml (2 c. à table) huile d'olive
5 ml (1 c. à thé) de guar ou de xanthane

Dans un grand poêlon épais, à feu moyen-vif, faites sauter 1/2 oignon dans 15 ml (1 c. à table) d'huile jusqu'à ce qu'il devienne translucide. Ajoutez 5 ml (1 c. à thé) de cumin, 1,5 g (1 c. à thé) de coriandre, 3 gousses d'ail, 5 ml (1 c. à thé) d'origan et 1 g (1 c. à thé) de thym. Faites sauter de nouveau de 1 à 2 minutes. Déposez le mélange dans un mélangeur ou un robot culinaire.

Ajoutez les tomates, le bouillon, le concentré et le chipotle. Mélangez jusqu'à l'obtention d'une consistance lisse. Versez le tout dans la mijoteuse. Couvrez la mijoteuse et réglez-la à faible intensité. Commencez la cuisson pendant que vous préparez les boulettes de viande.

Dans un grand bol, à l'aide de vos mains, préalablement lavées, mélangez le bœuf, la dinde, l'œuf, le poivre, le piment de la Jamaïque, 2,5 ml (1/2 c. à thé) de cumin, 0,75 g (1/2 c. à thé) de coriandre, 5 ml (1 c. à thé) d'origan, le sel ou le Vege-Sal, 1/2 oignon et 3 gousses d'ail jusqu'à l'obtention d'une consistance homogène. Façonnez ensuite les boulettes de viande.

Dans le poêlon, à feu moyen-vif, faites brunir les boulettes de viande sur toutes les surfaces dans 30 ml (2 c. à table) d'huile. Transférez ces dernières dans la mijoteuse. Couvrez et laissez cuire de 3 à 4 heures.

À l'aide d'une cuillère à égoutter, placez les boulettes de viande dans un plat de service. Au besoin, épaississez la sauce avec le guar ou le xanthane. Versez la sauce sur les boulettes de viande. Servez.

Infos : 8 portions, chacune contenant 297 calories, 20 g de lipides, 23 g de protéines, 5 g de glucides, 1 g de fibres alimentaires et 4 g de glucides assimilables.

Ragoût Brunswick

Un vieux classique que j'ai adapté pour la mijoteuse dans une version faible en glucides.

> 1 gros oignon émincé
> 1 kg (2,2 lb) de cuisses de poulet, sans la peau
> 210 g (1 1/2 tasse) de jambon cuit, tranché en cubes
> 3 g (1 c. à thé) de moutarde sèche
> 1 g (1 c. à thé) de thym séché
> 1 g (1/2 c. à thé) de poivre
> 260 g (1 tasse) de tomates en conserve coupées en dés
> 400 g (14 oz) de bouillon de poulet
> 3 gousses d'ail broyées
> 16 g (1 c. à table) de sauce Worcestershire
> 1,25 ml (1/4 c. à thé) de sauce épicée ou plus
> 170 g (1 tasse) de fèves de soja noir en conserve, égouttées

Déposez l'oignon dans la mijoteuse. Ajoutez le poulet et le jambon.

Dans un bol, mélangez la moutarde sèche, le thym, le poivre, les tomates, le bouillon, l'ail, la sauce Worcestershire et la sauce épicée. Versez ce mélange sur le poulet et le jambon. Couvrez la mijoteuse. Laissez cuire 8 heures à faible intensité.

Le temps de cuisson écoulé, ajoutez les fèves de soja et laissez le tout cuire environ 20 minutes de plus.

Infos : 6 portions, chacune contenant 212 calories, 10 g de lipides, 21 g de protéines, 9 g de glucides, 3 g de fibres alimentaires et 6 g de glucides assimilables.

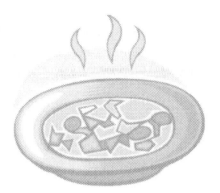

CHAPITRE NEUF

Les potages
et les soupes

Les potages et les soupes sont des plats tout à fait destinés à la mijoteuse. Qu'il est merveilleux de rentrer à la maison lors d'une froide soirée d'hiver et de sentir les arômes bienfaisants d'une soupe maison bien chaude !

Potage de haricots noirs

Un des rares plats riches en glucides qui parfois me manque est la soupe aux légumes, particulièrement celle aux haricots noirs. Voici ma version faible en glucides de cette soupe.

800 g (28 oz) de fèves de soja noir en conserve
400 g (14 oz) de haricots noirs en conserve
480 ml (2 tasses) de bouillon de poulet
1 oignon moyen, coupé en gros morceaux
4 gousses d'ail broyées
1 carotte moyenne râpée
2 branches de céleri moyennes, coupées en petits dés
5 g (1 c. à thé) de sel ou de Vege-Sal
1 g (1/2 c. à thé) de poivre
15 ml (1 c. à table) d'arôme de fumée liquide
10 ml (2 c. à thé) de sauce épicée
230 g (2 tasses) de jambon coupé en cubes

À l'aide d'un robot culinaire muni d'une lame en « S », réduisez les fèves de soja et les haricots noirs en purée. Déposez la purée dans la mijoteuse. Incorporez le bouillon.

Mettez l'oignon dans le robot culinaire. Ajoutez l'ail, la carotte et le céleri. Hachez le tout finement. Ajoutez au potage.

Incorporez le sel ou le Vege-Sal, le poivre, l'arôme de fumée liquide, la sauce épicée et le jambon. Couvrez la mijoteuse. Laissez cuire de 9 à 10 heures à faible intensité.

Le temps de cuisson écoulé, remuez le potage et rectifiez l'assaisonnement.

Infos : 8 portions, chacune contenant 218 calories, 9 g de lipides, 19 g de protéines, 17 g de glucides, 9 g de fibres alimentaires et 8 g de glucides assimilables.

Bollito misto

Accompagnez cette soupe-ragoût italienne d'une salade verte, et peut-être de pain croûté pour les « glucidovores ».

1 gros oignon émincé
2 carottes coupées en rondelles de 1,25 cm (1/2 po)
3 branches de céleri, coupées en morceaux de 1,25 cm (1/2 po)
1 kg (2,2 lb) de ronde de bœuf, coupée en cubes
2,5 g (1/2 c. à thé) de sel
1 g (1/2 c. à thé) de poivre
8 g (2 c. à table) de persil frais haché
1 feuille de laurier
15 ml (3 c. à thé) de bouillon de poulet concentré
960 ml (4 tasses) de bouillon de poulet
1 kg (2,2 lb) de cuisses de poulet sans os et sans la peau, coupées en cubes
455 g (1 lb) de saucisses italiennes
130 g (1/2 tasse) de pesto du commerce

Déposez l'oignon, les carottes et le céleri dans la mijoteuse. Assaisonnez le bœuf avec le sel et le poivre et placez-le sur les légumes. Ajoutez le persil et la feuille de laurier. Incorporez le concentré dans le bouillon de poulet et versez-le dans la mijoteuse. Couvrez la mijoteuse. Laissez cuire de 5 à 6 heures à faible intensité.

Ajoutez le poulet, réglez la mijoteuse forte intensité. Laissez cuire 1 heure de plus.

Pendant que le tout mijote, versez-vous un verre de Chianti et préparez quelques légumes et une trempette pour faire patienter les enfants. Déposez les saucisses dans un grand poêlon épais et couvrez-les d'eau. Mettez un couvercle sur le poêlon et faites bouillir 20 minutes à feu moyen. Retirez du feu. Laissez les saucisses dans l'eau, sans enlever le couvercle du poêlon.

Le temps de cuisson à la mijoteuse écoulé, égouttez les saucisses. Coupez-les en morceaux de 1,25 cm (1/2 po) et incorporez-les au mélange de la mijoteuse. Servez les portions de potage dans des bols après avoir ajouté 15 ml (1 c. à table) de pesto sur chacune d'elles.

Infos : 8 portions, chacune contenant 599 calories, 43 g de lipides, 44 g de protéines, 6 g de glucides, 1 g de fibres alimentaires et 5 g de glucides assimilables.

Potage au chou-fleur, aux épinards et au fromage

La famille de Maria a adoré cette recette. De plus, elle est des plus faciles à faire !

900 g (6 tasses) de fleurettes de chou-fleur, coupées en
   morceaux de 1,25 cm (1/2 po)
960 ml (4 tasses) de bouillon de poulet
80 g (1/2 tasse) d'oignon rouge émincé
140 g (5 oz) de feuilles de bébés épinards, prélavées
0,5 g (1/4 c. à thé) de Cayenne
2,5 g (1/2 c. à thé) de sel ou de Vege-Sal
0,5 g (1/4 c. à thé) de poivre
4 gousses d'ail broyées
675 g (3 tasses) de gouda fumé râpé
240 ml (1 tasse) de breuvage au lait Carb Countdown
Guar ou xanthane

Dans la mijoteuse, mélangez le chou-fleur, le bouillon, l'oignon, l'épinard, le Cayenne, le sel ou le Vege-Sal, le poivre et l'ail.

Couvrez la mijoteuse. Laissez cuire 6 heures à faible intensité ou jusqu'à ce que le chou-fleur soit tendre.

Le temps de cuisson écoulé, incorporez graduellement le gouda, puis le Carb Countdown. Couvrez la mijoteuse de nouveau. Laissez cuire 15 minutes ou jusqu'à ce que le fromage soit fondu. Épaississez quelque peu le potage avec le guar ou le xanthane.

Infos : 8 portions, chacune contenant 214 calories, 14 g de lipides, 17 g de protéines, 7 g de glucides, 2 g de fibres alimentaires et 5 g de glucides assimilables.

Potage (sans pommes de terre)

Je ne cesse de m'émerveiller de la polyvalence du chou-fleur. Cette recette goûte vraiment le potage de pommes de terre.

> 960 ml (4 tasses) de bouillon de poulet
> 1/2 chou-fleur coupé en gros morceaux
> 50 g (1/2 tasse) d'oignon haché
> 50 g (1/2 tasse) de mélange Ketatoes
> 120 ml (1/2 tasse) de crème fraîche 35 % M.G.
> 120 ml (1/2 tasse) de breuvage au lait Carb Countdown
> Guar ou xanthane (facultatif)
> 5 échalotes vertes émincées

Mélangez le bouillon, le chou-fleur et l'oignon dans la mijoteuse. Couvrez la mijoteuse. Laissez cuire de 4 à 5 heures à faible intensité.

J'utilise un mélangeur manuel pour transformer mon potage en purée directement dans la mijoteuse, mais vous pouvez également transférer le chou-fleur et l'oignon, et une tasse de bouillon, dans votre mélangeur. D'une façon ou de l'autre, actionnez l'appareil jusqu'à l'obtention d'une consistance homogène. Incorporez par la suite le mélange Ketatoes. Si vous avez retiré le chou-fleur de la mijoteuse pour le réduire en purée, incorporez cette purée avec un fouet dans le reste du bouillon.

Ajoutez la crème et le Carb Countdown. Au besoin, épaississez quelque peu le potage avec le guar ou le xanthane. Rectifiez l'assaisonnement et incorporez les échalotes vertes. Servez immédiatement ou refroidissez la préparation pour en faire une vichyssoise.

Infos : 6 portions, chacune contenant 190 calories, 11 g de lipides, 12 g de protéines, 13 g de glucides, 6 g de fibres alimentaires et 7 g de glucides assimilables.

Potage allemand (sans pommes de terre)

Il vous faudra un peu de temps pour couper les légumes, mais ce plat en vaut vraiment la peine ! Il est réconfortant et nourrissant.

>1 tête de chou-fleur, coupée en gros morceaux
>2 branches de céleri, coupées
>1 oignon moyen haché
>225 g (8 oz) de saucisse fumée coupée
>30 ml (1 c. à table) d'huile végétale
>960 ml (4 tasses) de bouillon de bœuf
>30 ml (2 c. à table) de vinaigre
>1,5 g (1 c. à table) de Splenda
>1,25 ml (1/4 c. à thé) de graines de céleri
>1,5 g (1/2 c. à thé) de moutarde sèche
>0,5 g (1/4 c. à thé) de poivre
>240 g (2 tasses) de mélange pour salade de chou

Déposez le chou-fleur, le céleri et l'oignon dans la mijoteuse.

Dans un grand poêlon épais, faites brunir la saucisse dans l'huile. Puis, déposez-la dans la mijoteuse.

Versez 240 ml (1 tasse) du bouillon dans le poêlon. Remuez bien pour dissoudre les sucs. Ajoutez le bouillon au contenu de la mijoteuse.

Dans un bol, mélangez le reste du bouillon, le vinaigre, le Splenda, les graines de céleri, la moutarde sèche et le poivre. Versez sur les légumes et la saucisse. Couvrez la mijoteuse. Laissez cuire 8 heures à faible intensité.

Le temps de cuisson écoulé, incorporez le mélange pour salade de chou. Laissez cuire de 20 à 30 minutes de plus.

Infos : 4 portions, chacune contenant 344 calories, 22 g de lipides, 20 g de protéines, 17 g de glucides, 2 g de fibres alimentaires et 15 g de glucides assimilables.

Chaudrée de palourdes Nouvelle-Angleterre à la façon de Maria

Cette recette me vient de ma vérificatrice et très chère amie, Maria. Cette dernière m'a confié ceci : « C'était si bon que j'ai appelé mon frère, Peter, pour qu'il vienne y goûter. Il a été très impressionné. C'est un grand amateur de chaudrée de palourdes et il m'a dit que notre grand-mère donnerait une très bonne note à cette recette. »

4 tranches de bacon, coupées en carrés
1 oignon moyen haché
1 gros navet coupé en cubes de 1,25 cm (1/2 po)
455 g (1 lb) de palourdes en conserve, non égouttées
3 gousses d'ail broyées
5 g (1 c. à thé) de sel
1 g (1/2 c. à thé) de poivre
480 ml (2 tasses) de crème fraîche 35 % M.G.
28 g (2 c. à table) de beurre

Dans un grand poêlon épais, faites sauter le bacon, l'oignon et le navet jusqu'à ce que l'oignon soit doré. Égouttez les ingrédients et déposez-les au fond de la mijoteuse.

Versez le bouillon des palourdes dans une tasse à mesurer et ajoutez assez d'eau pour obtenir 480 ml (2 tasses). Dans un bol, mélangez ce liquide, les palourdes, l'ail, le sel et le poivre. Versez le mélange dans la mijoteuse. Couvrez la mijoteuse. Laissez cuire 5 heures à faible intensité ou jusqu'à ce que les navets soient tendres. Incorporez la crème et le beurre au cours des 45 dernières minutes de cuisson.

Infos : 5 portions, chacune contenant 550 calories, 44 g de lipides, 27 g de protéines, 11 g de glucides, 1 g de fibres alimentaires et 10 g de glucides assimilables.

☐ Crème de champignons

Si la crème de champignons n'évoque chez vous que le mélange visqueux d'une boîte de conserve que l'on réchauffe dans un chaudon, vous devriez essayer cette recette ! Elle a une saveur riche et franche. Mon mari, pourtant un phobique des champignons, l'a adorée !

> 225 g (8 oz) de champignons tranchés
> 25 g (1/4 tasse) d'oignon haché
> 28 g (2 c. à table) de beurre
> 960 ml (4 tasses) de bouillon de poulet
> 120 ml (1/2 tasse) de crème fraîche 35 % M.G.
> 120 ml (1/2 tasse) de crème sure allégée
> Guar ou xanthane (facultatif)

Dans un grand poêlon épais, faites sauter les champignons et l'oignon dans le beurre jusqu'à ce que les champignons ramollissent et changent de couleur. Déposez le tout dans la mijoteuse. Ajoutez le bouillon. Couvrez la mijoteuse. Laissez cuire de 5 à 6 heures à faible intensité.

Le temps de cuisson écoulé, à l'aide d'une cuillère à égoutter, transférez les légumes dans un mélangeur ou un robot culinaire. Ajoutez assez de bouillon pour que vous puissiez les réduire en purée. Remettez la purée dans la mijoteuse ; assurez-vous de bien racler les parois du contenant à l'aide d'une spatule en caoutchouc. Incorporez maintenant la crème fraîche et la crème sure. Salez et poivrez. Au besoin, épaississez quelque peu la sauce avec le guar ou le xanthane. Servez immédiatement.

Infos : 5 portions, chacune contenant 176 calories, 15 g de lipides, 6 g de protéines, 5 g de glucides, 1 g de fibres alimentaires et 4 g de glucides assimilables.

Soupe au poulet et aux légumes avec épices thaïes

Cette soupe est légère, parfumée et merveilleuse.

30 ml (2 c. à table) d'huile végétale
2 carottes coupées en rondelles minces
4 branches de céleri finement tranchées
225 g (1 tasse) de champignons tranchés
1/2 oignon moyen finement émincé
2 gousses d'ail broyées
700 g (1 1/2 lb) de poitrine de poulet sans la peau et sans les os, coupée en cubes de 1,25 cm (1/2 po)
2 L (8 1/2 tasses) de bouillon de poulet
300 g (2 tasses) de morceaux de haricots verts surgelés
8 g (1 c. à table) de racine de gingembre râpée
45 ml (9 c. à thé) de pâte de chili
15 ml (1 c. à table) de jus de citron
15 ml (1 c. à table) de jus de lime
0,75 ml (1/8 c. à thé) de graines d'anis moulues
1,25 ml (1/4 c. à thé) de cardamome moulue
1,25 ml (1/4 c. à thé) de cannelle moulue
2,5 ml (1/2 c. à thé) de cumin moulu
0,5 g (1/4 c. à thé) de coriandre moulue
18 g (1 c. à table) de sauce au poisson
Feuilles de coriandre fraîches, ciselées

Dans un grand poêlon épais, à feu moyen-vif, faites sauter les carottes, le céleri, les champignons et l'oignon dans l'huile chaude jusqu'à ce que ce dernier devienne translucide. Déposez le tout dans la mijoteuse et ajoutez l'ail. Dans le poêlon, faites maintenant dorer le poulet. Transférez-le dans la mijoteuse.

Versez le bouillon et incorporez les haricots verts, le gingembre, la pâte de chili, le jus de citron, le jus de lime, les graines d'anis, la cardamome, la cannelle, le cumin, la coriandre et la sauce au poisson au contenu de la mijoteuse. Remuez bien. Couvrez la mijoteuse. Laissez cuire de 6 à 8 heures à faible intensité.

Servez les portions de potage dans des bols après avoir saupoudré chaque portion de coriandre fraîche.

Infos : 8 portions, chacune contenant 209 calories, 8 g de lipides, 25 g de protéines, 9 g de glucides, 2 g de fibres alimentaires et 7 g de glucides assimilables.

Soupe au poulet et au riz sauvage

Le riz sauvage contient davantage de fibres, donc moins de glucides assimilables, que le riz régulier blanc ou brun. De plus, il ajoute un certain cachet à votre soupe !

2 L (8 1/2 tasses) de bouillon de poulet
2 carottes tranchées en rondelles minces
2 branches de céleri, coupées en dés
50 g (1/2 tasse) d'oignon haché
455 g (1 lb) de poitrine de poulet sans os et sans la peau, coupée en cubes de 1,25 cm (1/2 po)
40 g (1/4 tasse) de riz sauvage
1,25 g (1 c. à thé) d'assaisonnement pour volaille

Mélangez tous les ingrédients dans la mijoteuse. Couvrez la mijoteuse. Laissez cuire de 6 à 7 heures à faible intensité. Voilà !

Infos : 6 portions, chacune contenant 182 calories, 4 g de lipides, 25 g de protéines, 10 g de glucides, 2 g de fibres alimentaires et 8 g de glucides assimilables.

Soupe mexicaine au bœuf et aux haricots

Votre famille adorera cette recette !

340 g (12 oz) de bœuf haché
1 oignon moyen haché
2 gousses d'ail broyées
1 poivron vert moyen, coupé en dés
960 ml (4 tasses) de bouillon de bœuf
5 ml (1 c. à thé) de bouillon de bœuf concentré
411 g (14 1/2 oz) de tomates en conserve avec piments verts
425 g (15 oz) de fèves de soja noir en conserve
3 g (2 c. à thé) de coriandre moulue
5 ml (1 c. à thé) de cumin moulu
4,5 g (4 c. à table) de feuilles de coriandre fraîche, ciselées
90 ml (6 c. à table) de crème sure

Dans un grand poêlon épais, faites brunir le bœuf haché en l'émiettant. Égouttez-le et déposez-le dans la mijoteuse.

Ajoutez l'oignon, l'ail, le poivron, le bouillon, le concentré, les tomates, le soja, la coriandre et le cumin au contenu de la mijoteuse. Mélangez les ingrédients. Couvrez la mijoteuse. Laissez cuire de 7 à 8 heures à faible intensité.

Garnissez chaque bol de coriandre fraîche et de crème sure.

Infos : 6 portions, chacune contenant 296 calories, 16 g de lipides, 25 g de protéines, 14 g de glucides, 5 g de fibres alimentaires et 9 g de glucides assimilables.

Minestrone au poulet

Voici une version faible en glucides d'un classique italien. Vous ne vous ennuierez plus des pâtes !

3 tranches de bacon hachées

1 oignon moyen haché

2 navets moyens coupés en cubes de 1,25 cm (1/2 po)

1 carotte moyenne tranchée en rondelles minces

2 petites courgettes coupées en quatre dans le sens de la longueur, puis tranchées

2 branches de céleri finement tranchées

45 ml (3 c. à table) d'huile d'olive

1 1/2 L (6 tasses) de bouillon de poulet

700 g (1 1/2 lb) de cuisses de poulet sans os et sans la peau, coupées en cubes

4 g (1 c. à table) d'assaisonnement à l'italienne

411 g (14 1/2 oz) de tomates en conserve coupées en dés, non égouttées

425 g (15 oz) de fèves de soja noir en conserve

Vaporisez un grand poêlon épais d'un antiadhésif. Faites frire le bacon à feu moyen. Lorsque la graisse du bacon commence à fondre, ajoutez autant de légumes que vous le pouvez et faites-les sauter jusqu'à ce qu'ils ramollissent quelque peu. Transférez les légumes sautés (et le bacon) dans la mijoteuse. Reprenez l'opération avec le reste des légumes en ajoutant de l'huile au besoin.

Incorporez le bouillon, le poulet, l'assaisonnement à l'italienne, les tomates et les fèves de soja au contenu de la mijoteuse. Salez et poivrez. Couvrez la mijoteuse. Laissez cuire de 7 à 8 heures à faible intensité.

Infos : 6 portions, chacune contenant 294 calories, 16 g de lipides, 21 g de protéines, 18 g de glucides, 6 g de fibres alimentaires et 12 g de glucides assimilables.

Potage de poulet et de champignons épicé

Exotique et délicieux !

45 g (3 c. à table) de beurre

1 poireau finement émincé (partie blanche seulement)

225 g (8 oz) de champignons tranchés

1 gousse d'ail broyée

10 ml (2 c. à thé) de garam masala (page 236) ou de garam masala du commerce

1 g (1 c. à thé) de poivre

0,5 g (1/4 c. à thé) de Cayenne

1,25 ml (1/4 c. à thé) de muscade moulue

960 ml (4 tasses) de bouillon de poulet

340 g (12 oz) de poitrine de poulet sans os et sans la peau, coupée en fines lanières

120 ml (1/2 tasse) de breuvage au lait Carb Countdown

120 ml (1/2 tasse) de crème fraîche 35 % M.G.

4,5 g (3 c. à table) de feuilles de coriandre fraîches, ciselées (facultatif)

Dans un grand poêlon épais, à feu moyen, faites sauter le poireau et les champignons dans le beurre jusqu'à ce qu'ils ramollissent quelque peu. Incorporez l'ail, le garam masala, le poivre, le Cayenne et la muscade. Faites sauter de nouveau 1 ou 2 minutes de plus. Transférez le mélange dans la mijoteuse. Versez le bouillon et ajoutez le poulet. Couvrez la mijoteuse. Laissez cuire de 6 à 7 heures à faible intensité.

Le temps de cuisson écoulé, à l'aide d'une cuillère à égoutter, prélevez environ le deux tiers des aliments solides et déposez-les dans un mélangeur ou un robot culinaire. Ajoutez une tasse de bouillon et réduisez les aliments en une purée lisse. Incorporez cette dernière au reste du potage. (Vous pouvez rincer le mélangeur ou le robot culinaire avec un peu de bouillon pour récupérer toute la purée.) Incorporez le Carb Countdown et la crème. Couvrez la mijoteuse. Laissez cuire 30 minutes de plus. Servir les portions après les avoir parsemées de coriandre fraîche ; si vous préférez vous en abstenir, la présentation sera tout de même jolie !

Infos : 6 portions, chacune contenant 243 calories, 16 g de lipides, 18 g de protéines, 6 g de glucides, 1 g de fibres alimentaires et 5 g de glucides assimilables.

Potage bistro

Potage au fromage et à la bière ! Ne vous en faites pas pour les enfants, l'alcool s'évapore durant la cuisson.

> 1 1/2 L (6 tasses) de bouillon de poulet
> 30 g (1/4 tasse) de céleri en petits dés
> 30 g (1/4 tasse) de poivron vert en petits dés
> 30 g (1/4 tasse) de carotte râpée
> 16 g (1/4 tasse) de persil frais haché
> 0,5 g (1/2 c. à thé) de poivre
> 455 g (1 lb) de cheddar fort râpé
> 360 ml (12 oz) de bière légère
> 2,5 g (1/2 c. à thé) de sel ou de Vege-Sal
> 1,25 ml (1/4 c. à thé) de sauce Tabasco
> Guar ou xanthane

Mélangez le bouillon, le céleri, le poivron, la carotte, le persil et le poivre dans la mijoteuse. Couvrez la mijoteuse. Laissez cuire de 6 à 8 heures, voire un peu plus, à faible intensité.

Le temps de cuisson écoulé, à l'aide d'un mélangeur manuel, réduisez les légumes en purée directement dans la mijoteuse. (Ou prélevez-les à l'aide d'une cuillère à égoutter pour les placer dans le mélangeur et effectuez la même opération.)

Incorporez le fromage, un peu à la fois, au contenu de la mijoteuse jusqu'à ce qu'il soit entièrement fondu. Ajoutez la bière, le sel ou le Vege-Sal et le Tabasco. Remuez jusqu'à ce que l'écume disparaisse. À l'aide du guar ou du xanthane, épaississez le potage jusqu'à l'obtention d'une consistance crémeuse. Couvrez la mijoteuse. Laissez cuire 20 minutes de plus à forte intensité. Servez.

Infos : 8 portions, chacune contenant 274 calories, 20 g de lipides, 18 g de protéines, 3 g de glucides, des traces de fibres alimentaires et 3 g de glucides assimilables.

Potage de saucisse à la dinde

Un potage nourrissant à servir lors des froides soirées d'hiver.

700 g (1 1/2 livre) de chair à saucisse à la dinde
411 g (14 1/2 oz) de tomates en conserve coupées en dés
225 g (8 oz) de champignons tranchés en conserve
1 navet coupé en dés
150 g (1 tasse) de chou-fleur coupé en dés
50 g (1/2 tasse) d'oignon haché
120 g (1 tasse) de poivron vert haché
960 ml (4 tasses) de bouillon de poulet
10 ml (2 c. à thé) de bouillon de poulet concentré
5 ml (1 c. à thé) de basilic séché
10 g (2 c. à thé) de raifort préparé
240 ml (1 tasse) de crème fraîche 35 % M.G.

Dans un grand poêlon épais, faites brunir la chair à saucisse en l'émiettant. Retirez le gras et déposez la viande dans la mijoteuse. Ajoutez les tomates, les champignons, le navet, le chou-fleur, l'oignon et le poivron.

Dans un bol, mélangez le bouillon de poulet et le concentré. Incorporez le basilic et le raifort. Versez ce mélange dans la mijoteuse. Couvrez la mijoteuse. Laissez cuire de 7 à 8 heures à faible intensité.

Le temps de cuisson écoulé, incorporez la crème et laissez cuire de 10 à 15 minutes de plus.

Infos : 6 portions, chacune contenant 666 calories, 61 g de lipides, 17 g de protéines, 12 g de glucides, 2 g de fibres alimentaires et 10 g de glucides assimilables.

Chaudrée de fruits de mer

Ma sœur Kim, qui a évalué cette recette, pense qu'il faut la réaliser uniquement avec des crevettes. Vous pouvez aussi utiliser du crabe, des morceaux de queue de homard ou de filet de poisson. N'utilisez pas les imitations de fruits de mer ; elles contiennent beaucoup de glucides ajoutés.

> 225 g (1 1/2 tasse) de chou-fleur râpé
> 40 g (1/3 tasse) de carottes râpées
> 1 g (1 c. à thé) de thym séché
> 1 gousse d'ail
> 10 g (1 c. à table) de poivron vert finement haché
> 0,25 g (1/8 c. à thé) de Cayenne
> 0,5 g (1/4 c. à thé) de poivre
> 720 ml (3 tasses) de bouillon de poulet
> 240 ml (1 tasse) de breuvage au lait Carb Countdown
> 60 ml (1/4 tasse) de crème fraîche 35 % M.G.
> 225 g (8 oz) de crevettes décortiquées
> 5 g (1 c. à table) de mélange Ketatoes
> 25 g (1/4 tasse) d'échalotes émincées
> Guar ou xanthane

Mélangez le chou-fleur, les carottes, le thym, l'ail, le poivron, le Cayenne, le poivre et le bouillon dans la mijoteuse. Couvrez la mijoteuse. Laissez cuire 4 heures à faible intensité.

Réglez la mijoteuse à forte intensité et incorporez le Carb Countdown et la crème. Couvrez la mijoteuse. Laissez cuire de 30 à 45 minutes de plus. Si vos crevettes sont grosses, vous pouvez les couper en morceaux pendant le temps de cuisson. Cependant, les crevettes entières sont plus jolies !

Incorporez le mélange Ketatoes. Ajoutez les crevettes et couvrez la mijoteuse. Si vos crevettes sont précuites, faites-les réchauffer pendant 5 minutes. Si elles sont crues, faites-les cuire pendant 10 minutes. Ajoutez par la suite les échalotes. Salez. Épaississez le bouillon avec le guar ou le xanthane.

Infos : 5 portions, chacune contenant 164 calories, 8 g de lipides, 17 g de protéines, 7 g de glucides, 2 g de fibres alimentaires et 5 g de glucides assimilables.

CHAPITRE DIX

Les plats d'accompagnement

La mijoteuse vous servira surtout à faire le plat principal ; c'est d'ailleurs son côté pratique. Plusieurs des plats principaux de ce livre sont des repas complets, pleins de légumes et de protéines et ils n'ont besoin de rien d'autre qu'un breuvage pour les accompagner. Pour les plats principaux qui demandent un accompagnement, le plus simple et le plus appétissant est souvent de servir une salade.

Il y a néanmoins de bonnes raisons de préparer un plat d'accompagnement dans la mijoteuse. Cette façon de faire demande souvent moins de travail et de surveillance qu'autrement, par exemple pour préparer les haricots du Sud. Pendant qu'une viande rôtit au four, il peut vous arriver de vouloir préparer un plat d'accompagnement sans avoir besoin de vous en occuper pendant une heure ou deux afin de vous libérer pour faire autre chose dans la maison. Pour toutes ces raisons, la mijoteuse demeure votre meilleure alliée.

Haricots verts barbecue

Ils sont fameux !

600 g (4 tasses) de haricots verts surgelés et non dégelés,
coupés en biais

25 g (1/4 tasse) d'oignon haché

4 tranches de bacon cuit, égouttées et émiettées

80 ml (1/3 tasse) de sauce barbecue faible en glucides
(page 279), ou utilisez une sauce du commerce)

Déposez les haricots verts dans la mijoteuse. Ajoutez l'oignon et le
bacon. Mélangez le tout avec la sauce barbecue. Couvrez la
mijoteuse. Laissez cuire 3 heures à forte intensité. (Si vous
préférez, laissez cuire de 5 à 6 heures à faible intensité.)

Infos : 6 portions, chacune contenant 58 calories, 2 g de lipides, 3 g
de protéines, 8 g de glucides, 2 g de fibres alimentaires et 6 g de
glucides assimilables.

Haricots du Sud

Les habitants du sud des États-Unis seraient choqués d'apprendre que je n'ai jamais goûté de haricots verts mijotés avec du bacon avant d'avoir emménagé en Indiana, mais je les ai aimés tout de suite. Dans notre maison, nous les nommons à la blague « les légumes maçonniques sacrés » parce que mon mari n'a jamais été à un banquet maçonnique qui n'offrait pas de haricots cuits de cette façon.

> 600 g (4 tasses) de haricots verts surgelés, non dégelés
> 35 g (1/3 tasse) d'oignon, coupé en dés
> 30 g (1/4 tasse) de céleri, coupé en dés
> 4 tranches de bacon, cuites et émiettées
> 15 ml (1 c. à table) de graisse de bacon
> 120 ml (1/2 tasse) d'eau

Déposez les haricots dans la mijoteuse. Mélangez-les avec le reste des ingrédients. Couvrez la mijoteuse. Laissez cuire 4 heures à faible intensité.

Infos : 6 portions, chacune contenant 75 calories, 4 g de lipides, 3 g de protéines, 7 g de glucides, 3 g de fibres alimentaires et 4 g de glucides assimilables.

Haricots piquants

> 600 g (4 tasses) de haricots verts surgelés, non dégelés
> 25 g (1/4 tasse) d'oignon haché
> 30 g (1/4 tasse) de poivron vert haché
> 60 ml (1/4 tasse) de vinaigre de cidre
> 3 g (2 c. à table) de Splenda
> 0,25 g (1/8 c. à thé) de poivre noir

Mélangez les ingrédients dans la mijoteuse, en prenant soin de bien enduire les haricots. Couvrez la mijoteuse. Laissez cuire 5 heures à faible intensité.

Servez avec un peu de beurre et de sel.

Infos : 4 portions, chacune contenant 50 calories, des traces de lipides, 2 g de protéines, 12 g de glucides, 4 g de fibres alimentaires et 8 g de glucides assimilables.

Casserole de haricots verts

800 g (28 oz) de haricots verts surgelés, non dégelés
100 g (1/2 tasse) de champignons tranchés
35 g (1/4 tasse) de poivron rouge rôti, coupé en dés
25 g (1/4 tasse) d'oignon haché
10 ml (2 c. à thé) de sauge séchée
5 g (1 c. à thé) de sel ou de Vege-Sal
1 g (1 c. à thé) de poivre
2,5 ml (1/2 c. à thé) de muscade moulue
240 ml (1 tasse) de bouillon de bœuf
5 ml (1 c. à thé) de bouillon de bœuf concentré
120 ml (1/2 tasse) de crème fraîche 35 % M.G.
Guar ou xanthane
90 g (3/4 tasse) d'amandes effilées
14 g (1 c. à table) de beurre

Mélangez les haricots verts, les champignons, le poivron rouge et l'oignon dans la mijoteuse.

Dans un bol, mélangez la sauge, le sel ou le Vege-Sal, le poivre, la muscade, le bouillon de bœuf et le concentré. Versez ce mélange sur les légumes. Remuez bien. Couvrez la mijoteuse. Laissez cuire de 5 à 6 heures à faible intensité.

Le temps de cuisson écoulé, incorporez la crème et épaississez quelque peu la sauce avec le guar ou le xanthane. Couvrez la mijoteuse. Gardez au chaud pendant que vous faites sauter les amandes dans le beurre jusqu'à ce qu'elles soient dorées. Mélangez ces dernières aux haricots. Servez.

Infos : 8 portions, chacune contenant 191 calories, 14 g de lipides, 7 g de protéines, 12 g de glucides, 4 g de fibres alimentaires et 8 g de glucides assimilables.

Artichauts faciles

2 artichauts
60 ml (1/4 tasse) de jus de citron

À l'aide de ciseaux de cuisine, coupez le bout pointu des feuilles d'artichaut. Tranchez les artichauts en deux, du sommet vers la base, et retirez le foin.

Remplissez la mijoteuse avec de l'eau. Ajoutez le jus de citron et plongez-y les artichauts. Couvrez la mijoteuse. Laissez cuire de 3 à 4 heures à forte intensité.

Égouttez les artichauts.

Servez les artichauts avec la trempette de votre choix, par exemple un beurre citronné, une mayonnaise, un aïoli, une mayonnaise aux chipotles, ou n'importe quoi d'autre. Si vous avez une grande mijoteuse, n'hésitez pas à faire cuire davantage d'artichauts !

Infos : 2 portions, chacune contenant 68 calories, des traces de lipides, 4 g de protéines, 16 g de glucides, 7 g de fibres alimentaires et 9 g de glucides assimilables.

Asperges de Maria

Voici une autre recette élaborée par mon amie et vérificatrice de recettes, Maria.

455 g (1 lb) d'asperges fraîches
5 ml (1 c. à thé) de romarin séché
1 gousse d'ail broyée
30 ml (1 c. à table) de jus de citron

Coupez la base dure des asperges et déposez ces dernières au fond de la mijoteuse. (Si vous utilisez une mijoteuse ronde, il faudra peut-être les couper pour les faire entrer.) Saupoudrez le romarin et l'ail. Versez le jus de citron sur le tout. Couvrez la mijoteuse. Laissez cuire 2 heures à faible intensité ou jusqu'à ce que les asperges soient tendres.

Infos : 4 portions, chacune contenant 17 calories, des traces de lipides, 1 g de protéines, 4 g de glucides, 1 g de fibres alimentaires et 3 g de glucides assimilables.

Casserole d'épinards au parmesan

Cela ressemble beaucoup à des épinards crémeux, à ceci près qu'ils sont moins crémeux.

> 570 g (20 oz) d'épinards hachés surgelés, dégelés et égouttés*
> 80 ml (1/3 tasse) de crème fraîche 35 % M.G.
> 40 g (1/2 tasse) de fromage parmesan râpé
> 1 gousse d'ail broyée
> 20 g (2 c. à table) d'oignon émincé
> 1 œuf
> 2,5 g (1/2 c. à thé) de sel

Mélangez les ingrédients dans un bol. Vaporisez un plat en pyrex de 1,5 litre (6 tasses) d'un antiadhésif. Déposez le mélange d'épinards dans le plat et égalisez-en la surface.

Placez le plat en pyrex dans la mijoteuse. Versez soigneusement de l'eau autour jusqu'à 2,5 cm (1 po) du rebord. Couvrez la mijoteuse. Laissez cuire 4 heures à faible intensité.

Éteignez le feu au moins 30 minutes avant de servir. Enlevez le couvercle de la mijoteuse afin que l'eau puisse refroidir et vous permettre de retirer le plat sans vous brûler. Servez.

* Assurez-vous de bien égoutter les épinards. Il est préférable de les mettre dans une passoire et de presser fermement pour en extraire le liquide. Remuez-les fréquemment.

Infos : 6 portions, chacune contenant 109 calories, 8 g de lipides, 7 g de protéines, 5 g de glucides, 3 g de fibres alimentaires et 2 g de glucides assimilables.

Macadangdang

Mes lecteurs de longue date savent que je suis une grande admiratrice de Peg Bracken et de ses livres de cuisine. Voici ma version faible en glucides du mélange d'épinards Macadangdang, qui a été publié dans son livre *I Hate To Cook Almanac*. Ce plat est nommé ainsi en l'honneur de la tante de Peg, une tante qui porte le nom de son mari philippin, Henry Macadangdang. Ce nom est si charmant et euphonique que j'ai tout simplement décidé de nommer ma version Macadangdang. Mon mari donne 10/10 à cette recette, et j'adore aussi cette dernière !

> 1/2 tête de chou-fleur
> 280 g (10 oz) d'épinards hachés surgelés, dégelés et égouttés
> 28 g (2 c. à table) de beurre
> 25 g (1/2 tasse) d'oignon haché
> 1 gousse d'ail broyée
> 4 œufs
> 120 ml (1/2 tasse) de breuvage au lait Carb Countdown
> 7,5 g (1 1/2 c. à thé) de sel ou de Vege-Sal
> 0,5 g (1/4 c. à thé) de poivre
> 40 g (1/2 tasse) de fromage parmesan râpé
> 110 g (1 tasse) de fromage mozzarella râpé

Hachez le chou-fleur au robot culinaire. Déposez le fleur-riz ainsi obtenu dans un bol. Égouttez les épinards dégelés (je les presse à l'aide de mes mains), puis ajoutez-les au fleur-riz.

Dans un poêlon de moyenne taille, à feu moyen-doux, faites sauter l'oignon dans le beurre jusqu'à ce qu'il devienne translucide. Ajoutez l'ail. Faites sauter de nouveau 1 ou 2 minutes de plus. Transférez ces ingrédients dans le bol avec le chou-fleur et les épinards.

Ajoutez les œufs, le Carb Countdown, le sel ou le Vege-Sal, le poivre et le parmesan. Mélangez le tout. Déposez ce mélange dans un plat en pyrex de 1,5 à 2 litres (6 à 8 tasses) que vous aurez préalablement enduit d'un antiadhésif. Couvrez le plat avec du papier d'aluminium et déposez-le dans la mijoteuse. Versez soigneusement de l'eau autour du plat jusqu'à 2,5 cm (1 po) du rebord. Couvrez la mijoteuse. Laissez cuire 2 1/2 heures à faible intensité.

Le temps de cuisson écoulé, retirez le couvercle de la mijoteuse et enlevez le papier d'aluminium. Saupoudrez le mozzarella sur votre Macadangdang et replacez le papier d'aluminium. Couvrez la mijoteuse. Laissez cuire 20 minutes de plus pour faire fondre le fromage. Éteignez le feu. Enlevez le couvercle de la mijoteuse et le papier d'aluminium. Laissez refroidir le tout jusqu'à ce que vous puissiez retirer le plat du bain d'eau sans vous brûler, soit environ 20 minutes.

Infos : 6 portions, chacune contenant 198 calories, 14 g de lipides, 13 g de protéines, 5 g de glucides, 2 g de fibres alimentaires et 3 g de glucides assimilables.

Brocoli au bacon et aux pignons de pin

Un plat tout à fait spécial. Ne faites pas cuire votre brocoli plus de 2 heures !

455 g (1 lb) de brocoli surgelé, non dégelé
1 gousse d'ail broyée
3 tranches de bacon, cuites et émiettées
28 g (1 c. à table) de beurre
30 ml (1 c. à table) d'huile végétale
30 g (2 c. à table) de pignons de pin grillés

Déposez le brocoli dans la mijoteuse. Ajoutez l'ail et le bacon émietté. Couvrez la mijoteuse. Laissez cuire 2 heures à faible intensité.

Avant de servir, mélangez le brocoli dans le beurre et l'huile, et parsemez-le de pignons de pin.

Infos : 3 portions, chacune contenant 184 calories, 15 g de lipides, 8 g de protéines, 8 g de glucides, 5 g de fibres alimentaires et 3 g de glucides assimilables.

Fauxtates

Les fauxtates sont une purée de choux-fleurs presque universellement utilisée par les amateurs de nourriture faible en glucides pour remplacer la purée de pommes de terre. Pour préparer des fauxtates, comme simple accompagnement d'un plat principal mijoté, voir la recette à la page 291. Les recettes de fauxtates qui suivent sont préparées à la mijoteuse et incluent des ingrédients additionnels vraiment savoureux.

Fauxtates barbecue au cheddar

Mon mari en raffole !

> 1/2 tête de chou-fleur, coupée en fleurettes
> 120 ml (1/2 tasse) d'eau
> 55 g (1/2 tasse) de cheddar râpé
> 10 ml (2 c. à thé) d'assaisonnement classique (page 284) ou
>   d'assaisonnement barbecue du commerce
> 10 g (2 c. à table) de mélange Ketatoes

Déposez le chou-fleur dans la mijoteuse, y compris les tiges. Ajoutez l'eau. Couvrez la mijoteuse. Laissez cuire 3 heures à forte intensité (ou de 5 à 6 heures à faible intensité).

Le temps de cuisson écoulé, à l'aide d'une cuillère à égoutter, déposez le chou-fleur dans un mélangeur ou un robot culinaire muni d'une lame en « S ». Réduisez-le en purée. Vous pourriez également retirer l'eau et utiliser un mélangeur manuel pour faire la purée directement dans le pot. D'une manière ou d'une autre, égouttez le chou-fleur et faites-en une purée !

Incorporez le reste des ingrédients et remuez jusqu'à ce que le fromage soit fondu. Servez.

Infos : 3 portions, chacune contenant 120 calories, 7 g de lipides, 8 g de protéines, 6 g de glucides, 3 g de fibres alimentaires et 3 g de glucides assimilables.

Fauxtates à l'ail et aux herbes italiennes

1/2 tête de chou-fleur, coupée en fleurettes
120 ml (1/2 tasse) de bouillon de poulet
1 g (1 c. à thé) d'assaisonnement à l'italienne
1 gousse d'ail broyée
28 g (1 oz) de fromage à la crème
Guar ou xanthane

Déposez le chou-fleur dans la mijoteuse. Ajoutez le bouillon, l'assaisonnement à l'italienne et l'ail. Couvrez la mijoteuse. Laissez cuire de 5 à 6 heures à faible intensité (ou 3 heures à forte intensité).

Le temps de cuisson écoulé, à l'aide d'une cuillère à égoutter, déposez le chou-fleur dans un mélangeur ou un robot culinaire muni d'une lame en « S ». Réduisez-le en purée. Ou encore, drainez le bouillon de la mijoteuse et utilisez un mélangeur manuel pour préparer la purée de choux-fleurs directement dans le pot. Incorporez le fromage à la crème. Remuez jusqu'à ce qu'il soit fondu.

Le mélange sera encore un peu aqueux. Utilisez un fouet pour l'épaissir quelque peu à l'aide du guar ou du xanthane.

Infos : 3 portions, chacune contenant 46 calories, 4 g de lipides, 2 g de protéines, 2 g de glucides, 1 g de fibres alimentaires et 1 g de glucides assimilables.

Fauxtates ranch à l'échalote verte

Ce plat accompagne à merveille tous les mets à saveur de barbecue.

> 1 tête de chou-fleur, coupée en fleurettes
> 240 ml (1 tasse) d'eau
> 100 g (1 tasse) de mélange Ketatoes
> 30 ml (6 c. à thé) d'assaisonnement pour vinaigrette de type ranch
> 4 échalotes vertes émincées

Déposez le chou-fleur dans la mijoteuse avec l'eau. Couvrez la mijoteuse. Laissez cuire 5 heures à faible intensité (ou 3 heures à forte intensité).

Le temps de cuisson écoulé, la chose la plus facile à faire est d'utiliser un mélangeur manuel pour réduire le chou-fleur en purée directement dans la mijoteuse. Ne vous donnez pas la peine de d'abord drainer l'eau. Incorporez le mélange Ketatoes, l'assaisonnement ranch et les échalotes.

Infos : 6 portions, chacune contenant 170 calories, 3 g de lipides, 14 g de protéines, 23 g de glucides, 11 g de fibres alimentaires et 12 g de glucides assimilables.

Fauxtates à l'oignon et à l'ail

Selon Maria, notre vérificatrice, ses enfants ont été particulièrement impressionnés par cette recette !

> 1 tête de chou-fleur, coupée en fleurettes
> 50 g (1/2 tasse) d'oignon haché
> 3 gousses d'ail broyées
> 160 ml (2/3 tasse) d'eau
> 65 g (2/3 tasse) de mélange Ketatoes
> 45 g (3 c. à table) de beurre

Déposez le chou-fleur dans la mijoteuse. Ajoutez l'oignon, l'ail et l'eau. Couvrez la mijoteuse. Laissez cuire de 2 1/2 à 3 heures à forte intensité (ou de 5 à 6 heures à faible intensité).

Le temps de cuisson écoulé, utilisez un mélangeur manuel pour réduire le chou-fleur, l'oignon et l'ail en purée directement dans la mijoteuse. Sinon, transférez les légumes dans un robot culinaire pour préparer la purée, puis mélangez cette dernière avec le liquide qui est resté dans le pot. Incorporez par la suite le mélange Ketatoes et le beurre. Salez et poivrez.

Infos : 6 portions, chacune contenant 162 calories, 8 g de lipides, 9 g de protéines, 15 g de glucides, 7 g de fibres alimentaires et 8 g de glucides assimilables.

Purée de navets

2 gros navets, coupés en cubes
25 g (1/4 tasse) d'oignon haché
180 ml (3/4 tasse) de bouillon de bœuf

Déposez les navets et l'oignon dans la mijoteuse et ajoutez le bouillon. Couvrez la mijoteuse. Laissez cuire de 6 à 7 heures à faible intensité.

Je prépare la purée directement dans le pot avec mon mélangeur manuel, mais vous pouvez déposer les légumes dans un robot culinaire ou un mélangeur régulier.

Si vous désirez servir la purée nature, vous pourriez ajouter du beurre, du sel et du poivre ; cependant, si vous la nappez de sauce, laissez-la comme telle.

Infos : 4 portions, chacune contenant 31 calories, des traces de lipides, 3 g de protéines, 5 g de glucides, 1 g de fibres alimentaires et 4 g de glucides assimilables.

Champignons au citron et au parmesan

225 g (8 oz) de champignons
120 ml (1/2 tasse) de bouillon de poulet
60 ml (1/4 tasse) de jus de citron
40 g (1/2 tasse) de fromage parmesan râpé
16 g (1/4 tasse) de persil frais haché

Nettoyez les champignons avec un tissu humide ou une serviette de papier, puis déposez-les dans la mijoteuse. Versez-y le bouillon et le jus de citron. Couvrez la mijoteuse. Laissez cuire de 6 à 8 heures à faible intensité.

À l'aide d'une cuillère à égoutter, disposez les champignons dans de petites assiettes. Saupoudrez de parmesan et de persil. Servez.

Infos : 4 portions, chacune contenant 65 calories, 3 g de lipides, 6 g de protéines, 5 g de glucides, 1 g de fibres alimentaires et 4 g de glucides assimilables.

Fèves cuites au four

Cette recette possède la saveur authentique des fèves cuites au four et elle sera appréciée avec tout mets préparé au barbecue. Je ne ferais jamais cette recette sans avoir recours à la mijoteuse. Avez-vous une idée du temps qu'il faut pour faire cuire des fèves de soja ? Avec votre mijoteuse, vous pouvez facilement les oublier pour une douzaine d'heures. Si votre marché d'aliments naturels ne peut vous dénicher les fèves de soja noir (le soja noir est moins riche en glucides que le blanc), vous pouvez les commander par Internet à l'adresse suivante : www.locarber.com.

240 g (2 tasses) de fèves de soja noir sèches
480 ml (2 tasses) d'eau
50 g (1/2 tasse) d'oignon haché
7,5 ml (1/2 c. à table) de mélasse noire
45 ml (3 c. à table) de ketchup faible en glucides (page 276)
11 g (1 c. à table) de moutarde sèche
3 g (2 c. à table) de Splenda
480 ml (2 tasses) d'eau
340 g (3/4 livre) de jarret de jambon fumé

Dans un grand bol non réactif, déposez les fèves de soja et les couvrir avec 480 ml (2 tasses) d'eau. Laissez-les reposer jusqu'à ce que l'eau soit absorbée. Rangez vos fèves imbibées dans le congélateur pour la nuit. (L'eau glacée aidera à casser les parois cellulaires des fèves de soja, leur permettant ainsi de ramollir plus rapidement lorsque vous les ferez cuire.)

Au moment de cuire les fèves de soja, faites-les dégeler et égouttez-les si nécessaire. Déposez-les dans la mijoteuse. Ajoutez l'oignon, la mélasse, le ketchup, la moutarde sèche et le Splenda. Versez 480 ml (2 tasses) d'eau et remuez le tout. À l'aide d'une cuillère, creusez un trou au centre des ingrédients et placez-y le jarret de jambon. Couvrez la mijoteuse. Laissez cuire 12 heures à faible intensité.

Le temps de cuisson écoulé, sortez le jarret de jambon à l'aide de pinces, puis retirez la peau et l'os. Tranchez la viande. Mélangez-la aux fèves avant de servir.

Infos : Donne 10 portions (5 tasses), chacune contenant 286 calories, 15 g de lipides, 8 g de protéines, 12 g de glucides, 11 g de fibres alimentaires et 1 g de glucides assimilables.

Chou bavarois

C'est excellent avec le sauerbrauten (page 111) !

> 1 chou rouge
> 1 oignon moyen haché
> 1 pomme Granny Smith moyenne, hachée
> 6 tranches de bacon, cuites et émiettées
> 10 g (2 c. à thé) de sel
> 240 ml (1 tasse) d'eau
> 4,5 g (3 c. à table) de Splenda
> 160 ml (2/3 tasse) de vinaigre de cidre
> 45 ml (3 c. à table) de gin

Coupez le chou en quartiers et retirez le cœur. Coupez-le par la suite en gros morceaux. Dans un grand bol, mélangez-le avec l'oignon, la pomme et le bacon. Déposez le mélange dans la mijoteuse. Il remplira un pot de 3 litres (12 1/2 tasses) jusqu'au bord !

Dans un autre bol, mélangez le sel, l'eau, le Splenda, le vinaigre et le gin. Versez le mélange sur le chou. Couvrez la mijoteuse. Laissez cuire de 6 à 8 heures à faible intensité.

Infos : 6 portions, chacune contenant 80 calories, 3 g de lipides, 2 g de protéines, 7 g de glucides, 1 g de fibres alimentaires et 6 g de glucides assimilables.

Chutney

C'est la version pour la mijoteuse de ma recette de chutney du major Gray qui a été publiée dans *500 More Low-Carb Recipes*. Ce plat est merveilleux avec tout mets au cari.

> 1 kg (2,2 lb) de pêches tranchées
> 30 g (1/3 tasse) de tranches de racine de gingembre
> 35 g (1 1/2 tasse) de Splenda
> 3 gousses d'ail
> 5 ml (1 c. à thé) de flocons de piments de Cayenne
> 5 ml (1 c. à thé) de clous de girofle
> 360 ml (1 1/2 tasse) de vinaigre de cidre
> Guar ou xanthane

Mélangez tous les ingrédients dans la mijoteuse, sauf le guar ou le xanthane. Couvrez la mijoteuse. Laissez cuire 4 heures à faible intensité.

Le temps de cuisson écoulé, enlevez le couvercle et laissez cuire 1 heure de plus pour réduire le mélange. Au besoin, épaississez quelque peu avec le guar ou le xanthane. Conservez dans un contenant hermétique au réfrigérateur.

Infos : 32 portions (960 ml ou 4 tasses), chacune contenant 15 calories, des traces de lipides et de protéines, 4 g de glucides, 1 g de fibres alimentaires et 3 g de glucides assimilables.

Sauce aux canneberges

J'aime beaucoup avoir de la sauce aux canneberges sous la main pour les occasions où je ne veux pas trop cuisiner. Elle ajoute une note intéressante au poulet rôti (même à celui de votre épicerie). C'est une recette facile à faire et elle donne une bonne quantité de sauce !

> 680 g (24 oz) de canneberges
> 240 ml (1 tasse) d'eau
> 50 g (2 tasses) de Splenda

Mélangez tous les ingrédients dans la mijoteuse. Couvrez la mijoteuse. Laissez cuire 3 heures à faible intensité.

Cette sauce ne sera pas aussi sirupeuse que la sauce aux canneberges commerciale, en raison de l'absence de sucre. Si cela vous dérange, vous pouvez épaissir quelque peu votre sauce avec du guar ou du xanthane. Pour ma part, je la laisse généralement comme telle. Cette recette donne une bonne quantité de sauce ; alors, conservez-la au congélateur dans 3 ou 4 contenants hermétiques. De cette façon, vous aurez de la sauce aux canneberges chaque fois que vous rapporterez un poulet rôti à la maison !

Infos : Donne environ 22 portions (660 ml ou 2 3/4 tasses) de 30 ml (2 c. à table), chacune contenant 15 calories, des traces de lipides et de protéines, 4 g de glucides, 1 g de fibres alimentaires et 3 g de glucides assimilables.

Chutney aux canneberges et aux pêches

Cette recette vous changera agréablement de la sauce aux canneberges traditionnelle ! Elle accompagne naturellement le poulet au cari, mais essayez-la avec n'importe quelle volaille ou n'importe quel plat de porc.

> 340 g (12 oz) de canneberges
> 330 g (1 1/2 tasse) de pêches coupées en dés (j'utilise des tranches de pêche surgelées non sucrées que je coupe en dés)
> 1 gousse d'ail émincée
> 7,5 cm (3 po) de racine de gingembre, coupée en fines lamelles
> 1 lime coupée en fines lamelles
> 30 g (1 1/4 tasse) de Splenda
> 1 bâton de cannelle
> 5 ml (1 c. à thé) de graines de moutarde
> 1,25 g (1/4 c. à thé) de sel
> 1,25 ml (1/4 c. à thé) d'extrait d'orange
> 1,25 ml (1/4 c. à thé) de bicarbonate de soude

Mélangez les ingrédients dans la mijoteuse, sauf le bicarbonate de soude. Couvrez la mijoteuse. Laissez cuire 3 heures à faible intensité en remuant une fois à mi-cuisson.

Le temps de cuisson écoulé, incorporez le bicarbonate de soude et continuez à remuer jusqu'à ce que le pétillement cesse. Conservez dans un contenant hermétique au réfrigérateur. Si vous planifiez une longue période de conservation, songez au congélateur.

Pourquoi le bicarbonate de soude ? En neutralisant un peu de l'acidité des canneberges, vous pouvez utiliser moins de Splenda, et avoir moins de glucides

Infos : Donne environ 20 portions (600 ml ou 2 1/2 tasses) de 30 ml (2 c. à table), chacune contenant 31 calories, des traces de lipides, des traces de protéines, 8 g de glucides, 1 g de fibres alimentaires et 7 g de glucides assimilables.

CHAPITRE ONZE

Les desserts

Il existe des desserts qui s'adaptent très bien à la mijoteuse, quoique certaines recettes s'y refusent complètement. Dans ce chapitre, j'ai vraiment utilisé les forces de la mijoteuse. Par exemple, les flans se réussissent mieux à la mijoteuse qu'au four conventionnel ; c'est pourquoi vous en trouverez une demi-douzaine dans les pages qui suivent. En fait, les flans sont faciles à préparer à la mijoteuse, appétissants et nourrissants ; vous pourriez bien vouloir en faire plus fréquemment.

Vous l'ignoriez peut-être, mais la mijoteuse réussit aussi très bien les gâteaux au fromage. Essayez de les cuisiner de cette façon !

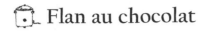 # Flan au chocolat

Ce flan est dense et fond dans la bouche. Et très chocolaté aussi !

240 ml (1 tasse) de breuvage au lait Carb Countdown
85 g (3 oz) de chocolat de cuisson non sucré
16 g (2/3 tasse) de Splenda
240 ml (1 tasse) de crème fraîche 35 % M.G.
2,5 ml (1/2 c. à thé) d'extrait de vanille
1 pincée de sel
6 œufs battus

Dans une casserole, sur le feu le plus doux possible (utilisez une casserole à double fond ou un diffuseur de chaleur si vous en avez un), faites chauffer le Carb Countdown et le chocolat. Lorsque le chocolat commence à fondre, remuez à l'aide d'un fouet. Incorporez le Splenda tout en continuant de fouetter.

Vaporisez d'un antiadhésif un plat en pyrex de 1,5 litre (6 tasses). Versez-y la crème. Ajoutez le mélange au chocolat. En fouettant, incorporez la vanille et le sel. Ajoutez les œufs, un à un. Mélangez bien entre chacun des ajouts.

Placez le plat en pyrex dans la mijoteuse. Versez soigneusement de l'eau autour du plat jusqu'à 2,5 cm (1 po) du rebord. Couvrez la mijoteuse. Laissez cuire 4 heures à faible intensité.

Le temps de cuisson écoulé, éteignez le feu. Enlevez le couvercle de la mijoteuse et laissez l'eau se refroidir suffisamment pour ne pas risquer de vous brûler en retirant le plat. Réfrigérez le flan avant de servir.

Infos : 6 portions, chacune contenant 299 calories, 28 g de lipides, 10 g de protéines, 6 g de glucides, 2 g de fibres alimentaires et 4 g de glucides assimilables.

Flan

C'est ma version pour la mijoteuse du flan de Maria, une recette qui a été publiée dans *500 recettes à faible teneur en glucides*. Un dessert très riche au goût !

40 g (2 c. à table) de substitut de miel (sans sucre)
5 ml (1 c. à thé) de mélasse noire
240 ml (1 tasse) de breuvage au lait Carb Countdown
240 ml (1 tasse) de crème fraîche 35 % M.G.
6 œufs
16 g (2/3 tasse) de Splenda
5 ml (1 c. à thé) de vanille
1 pincée de muscade
1 pincée de sel

Vaporisez d'un antiadhésif un plat en pyrex de 1,5 L (6 tasses). Dans un bol, mélangez le miel et la mélasse. Versez le mélange au fond du plat en pyrex.

Dans un bol, de préférence avec un bec verseur, mélangez à l'aide d'un fouet le Carb Countdown, la crème, les œufs, le Splenda, la vanille, la muscade et le sel jusqu'à l'obtention d'une consistance homogène. Versez ce mélange dans le plat en pyrex.

Placez soigneusement le plat en pyrex dans la mijoteuse. Versez de l'eau autour du plat jusqu'à 2,5 cm (1 po) du rebord. Couvrez la mijoteuse. Laissez cuire de 3 à 3 1/2 heures à faible intensité.

Infos : 6 portions, chacune contenant 229 calories, 20 g de lipides, 8 g de protéines, 3 g de glucides, des traces de fibres alimentaires et 3 g de glucides assimilables.

Flan du Sud-Est asiatique à la noix de coco

J'ai adapté ce dessert, alors riche en glucides, d'un autre livre de recettes pour la mijoteuse. Maria, qui l'a évalué, dit qu'il est merveilleux. Vous trouverez de la noix de coco râpée non sucrée dans les marchés asiatiques ou dans les magasins d'aliments naturels.

> 85 g (1/4 tasse) de substitut de miel (sans sucre)
> 2,5 ml (1/2 c. à thé) de mélasse noire
> 3,75 g (1 1/2 c. à thé) de racine de gingembre râpée
> 15 ml (1 c. à table) de jus de lime
> 415 millilitres (14 oz) de lait de coco
> 16 g (2/3 tasse) de Splenda
> 1,25 ml (1/4 c. à thé) de cardamome moulue
> 2,5 g (1 c. à thé) de racine de gingembre râpée
> 120 ml (1/2 tasse) de breuvage au lait Carb Countdown
> 120 ml (1/2 tasse) de crème fraîche 35 % M.G.
> 2,5 ml (1/2 c. à thé) d'extrait de vanille
> 4 œufs
> 35 g (1/2 tasse) de noix de coco râpée non sucrée

Vaporisez d'un antiadhésif un plat en pyrex de 1,5 L (6 tasses). Versez le miel et la mélasse dans le plat. Couvrez-le d'une pellicule de plastique ou d'une assiette. Faites chauffer le mélange au micro-ondes 2 minutes à puissance maximale. Ajoutez 3,75 g (1 1/2 c. à thé) de gingembre et le jus de lime. Remuez bien. Réservez.

Dans un bol, mélangez le lait de coco, le Splenda, la cardamome, 2,5 g (1 c. à thé) de gingembre, le Carb Countdown, la crème, l'extrait de vanille et les œufs. Fouettez jusqu'à l'obtention d'une consistance homogène. Versez le tout dans le plat en pyrex. Couvrez le plat en pyrex avec du papier d'aluminium et maintenez ce dernier en place à l'aide d'un élastique.

Déposez le plat en pyrex dans la mijoteuse. Versez de l'eau autour jusqu'à 2,5 cm (1 po) du rebord. Couvrez la mijoteuse. Laissez cuire 3 à 4 heures à faible intensité.

Le temps de cuisson écoulé, éteignez le feu. Enlevez le couvercle de la mijoteuse et laissez l'eau se refroidir suffisamment pour ne pas risquer de vous brûler en retirant le plat. Réfrigérez le flan toute la nuit.

Avant de servir, faites dorer la noix de coco dans un poêlon sec à feu moyen. Sortez le flan du réfrigérateur. Démoulez à l'aide d'un couteau. Placez une assiette sur le flan et renversez-le délicatement dans l'assiette. Saupoudrez la noix de coco grillée sur le flan.

Infos : 8 portions, chacune contenant 227 calories, 22 g de lipides, 5 g de protéines, 5 g de glucides, 2 g de fibres alimentaires et 3 g de glucides assimilables.

Flan à l'érable

Une recette pour les amateurs des produits de l'érable. Et je sais qu'ils sont nombreux !

360 ml (1 1/2 tasse) de breuvage au lait Carb Countdown
120 ml (1/2 tasse) de crème fraîche 35 % M.G.
80 ml (1/3 tasse) de sirop à crêpes (sans sucre)
8 g (1/3 tasse) de Splenda
3 œufs
1 pincée de sel
5 ml (1 c. à thé) d'extrait de vanille
2,5 ml (1/2 c. à thé) d'extrait d'érable

À l'aide d'un fouet, mélangez tous les ingrédients. Versez le mélange dans un plat en pyrex de 1,5 L (6 tasses) que vous aurez préalablement vaporisé d'un antiadhésif. Déposez le plat dans la mijoteuse et versez de l'eau autour jusqu'à 2,5 cm (1 po) du rebord. Couvrez la mijoteuse. Laissez cuire 4 heures à faible intensité.

Le temps de cuisson écoulé, éteignez le feu. Enlevez le couvercle de la mijoteuse et laissez l'eau se refroidir suffisamment pour ne pas risquer de vous brûler en retirant le plat. Réfrigérez le flan avant de servir.

Infos : 6 portions, chacune contenant 135 calories, 12 g de lipides, 6 g de protéines, 2 g de glucides, 0 g de fibres alimentaires et 2 g de glucides assimilables. (L'analyse nutritionnelle ne tient pas compte des polyols contenus dans le sirop à crêpes.)

Flan à la citrouille et à l'érable

Le résultat ressemble à la garniture d'une tarte à la citrouille, la croûte en moins. Les noix de pécan ajoute un petit côté croustillant à la texture.

430 g (15 oz) de citrouille en conserve
240 ml (1 tasse) de breuvage au lait Carb Countdown
120 ml (1/2 tasse) de crème fraîche 35 % M.G.
80 ml (1/3 tasse) de sirop à crêpes (sans sucre)
8 g (1/3 tasse) de Splenda
2,5 ml (1/2 c. à thé) d'arôme artificiel à l'érable
3 œufs
1 pincée de sel
6 g (1 c. à table) d'assaisonnement pour tarte à la citrouille
35 g (1/3 tasse) de noix de pécan hachées
7,5 ml (1 1/2 c. à thé) de beurre
Crème fouettée (page 290)

Dans un bol, de préférence avec bec verseur, mélangez à l'aide d'un fouet la citrouille, le Carb Countdown, la crème, le sirop à crêpes, le Splenda, l'arôme artificiel à l'érable, les œufs, le sel et l'assaisonnement pour tarte à la citrouille.

Vaporisez d'un antiadhésif un plat en pyrex de 1,5 L (6 tasses). Versez-y le mélange à flan. Déposez le plat dans la mijoteuse et versez de l'eau autour jusqu'à 2,5 cm (1 po) du rebord. Couvrez la mijoteuse. Laissez cuire de 3 à 4 heures à faible intensité.

Le temps de cuisson écoulé, éteignez le feu. Enlevez le couvercle de la mijoteuse et laissez l'eau se refroidir suffisamment pour ne pas risquer de vous brûler en retirant le plat. Réfrigérez le flan pendant plusieurs heures.

Avant de servir, mettez les noix de pécan et le beurre dans un poêlon épais à feu moyen. Remuez pendant environ 5 minutes. Réservez. Préparez la crème fouettée.

Servez le flan en le garnissant d'une cuillerée de crème fouettée et de 15 ml (1 c. à table) de noix de pécan grillées.

Infos : 6 portions, chacune contenant 341 calories, 31 g de lipides, 7 g de protéines, 10 g de glucides, 3 g de fibres alimentaires et 7 g de glucides assimilables.

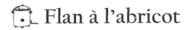 Flan à l'abricot

N'allez pas augmenter la quantité de confiture d'abricots dans cette recette ; elle est la plus grande source de glucides. Ce dessert est vraiment délicieux !

> 105 g (1/3 tasse) de confiture d'abricots faible en sucre
> 30 ml (2 c. à table) de jus de citron
> 1 g (2 c. à thé) de Splenda
> 360 ml (1 1/2 tasse) de breuvage au lait Carb Countdown
> 120 ml (1/2 tasse) de crème fraîche 35 % M.G.
> 4 œufs
> 16 g (2/3 tasse) de Splenda
> 2,5 ml (1/2 c. à thé) d'extrait d'amande
> 1 pincée de sel

À l'aide d'un fouet, mélangez la confiture, le jus de citron et 1 g (2 c. à thé) de Splenda. Versez le mélange dans un plat en pyrex de 1,5 L (6 tasses) que vous aurez préalablement vaporisé d'un antiadhésif. Réservez.

Toujours à l'aide d'un fouet, mélangez le Carb Countdown, la crème, les œufs, 16 g (2/3 tasse) de Splenda, l'extrait d'amande et le sel. Versez doucement dans le plat en pyrex pour éviter que cette préparation se mélange avec la confiture d'abricots.

Déposez le plat dans la mijoteuse et versez de l'eau autour jusqu'à 2,5 cm (1 po) du rebord. Couvrez la mijoteuse. Laissez cuire 4 heures à faible intensité.

Le temps de cuisson écoulé, éteignez le feu. Enlevez le couvercle de la mijoteuse et laissez l'eau se refroidir suffisamment pour ne pas risquer de vous brûler en retirant le plat. Réfrigérez avant de servir.

Infos : 6 portions, chacune contenant 165 calories, 12 g de lipides, 7 g de protéines, 7 g de glucides, des traces de fibres alimentaires et 7 g de glucides assimilables.

Pêches au caramel

Ces pêches sont délectables. Vous pouvez les servir telles quelles, avec un peu de crème, de la crème fouettée (page 290) ou, la totale, avec une cuillérée de glace à la vanille faible en glucides.

455 g (1 lb) de pêches en tranches surgelées non sucrées
10 ml (2 c. à thé) de jus de citron
8 g (1/3 tasse) de Splenda
40 g (2 c. à table) de substitut de miel (sans sucre)
2,5 ml (1/2 c. à thé) de mélasse noire
30 ml (2 c. à table) de crème fraîche 35 % M.G.
1,25 ml (1/4 c. à thé) de cannelle
28 g (2 c. à table) de beurre fondu
Guar ou xanthane

Déposez les pêches dans la mijoteuse. (Je ne me donne même pas la peine de dégeler les miennes.)

Dans un bol, mélangez le jus de citron, le Splenda, le miel, la mélasse, la crème, la cannelle et le beurre. Versez le mélange sur les pêches. Couvrez la mijoteuse. Laissez cuire 6 heures à faible intensité.

À l'aide du guar ou du xanthane, épaississez la sauce jusqu'à l'obtention d'une consistance crémeuse. Servez chaud.

Infos : 6 portions, chacune contenant 86 calories, 6 g de lipides, 1 g de protéines, 9 g de glucides, 2 g de fibres alimentaires et 7 g de glucides assimilables. (L'analyse nutritionnelle ne tient pas compte des polyols.)

Dessert à la rhubarbe

Du fait qu'elle est si acidulée, la rhubarbe est faible en glucides. C'est un dessert simple, à la mode d'autrefois.

> 455 g (1 lb) de rhubarbe surgelée
> 12 g (1/2 tasse) de Splenda
> 120 ml (1/2 tasse) d'eau
> 0,75 ml (1/8 c. à thé) d'extrait d'orange
> Guar ou xanthane

Déposez la rhubarbe dans la mijoteuse. Ajoutez le Splenda, l'eau et l'extrait d'orange. Couvrez la mijoteuse. Laissez cuire de 5 à 6 heures à faible intensité.

Le temps de cuisson écoulé, la rhubarbe sera très molle. Écrasez-la grossièrement à l'aide d'une fourchette. Avec le guar ou le xanthane, épaississez la sauce jusqu'à l'obtention d'une consistance semblable à celle d'un tapioca. Servez chaud ou froid.

Ce dessert est délicieux avec un peu de crème fraîche ou de crème fouettée (page 290).

Infos : 6 portions, chacune contenant 16 calories, des traces de lipides et de protéines, 4 g de glucides, 1 g de fibres alimentaires et 3 g de glucides assimilables.

Moka à la cannelle

Préparez ce moka dans la mijoteuse avant d'aller patiner, faire une longue promenade ou assister à une rencontre sportive. Vous aurez un breuvage chaud quand vous rentrerez à la maison !

  1,75 L (7 tasses) de breuvage au lait Carb Countdown au chocolat
  2 bâtons de cannelle
  8 g (3 c. à table) de café instantané
  7,5 ml (1 1/2 c. à thé) d'extrait de vanille

Mélangez les ingrédients dans la mijoteuse. Couvrez la mijoteuse. Laissez cuire 3 heures à forte intensité. Puis, réglez la température à faible intensité et servez directement à partir de la mijoteuse.

Si c'est une fête entre adultes, mettez une bouteille de Mockahlua sur la table pour augmenter la vigueur du mélange ! (page 289)

Infos : 10 portions, chacune contenant 92 calories, 4 g de lipides, 10 g de protéines, 5 g de glucides, 2 g de fibres alimentaires et 3 g de glucides assimilables.

À propos des gâteaux au fromage

Il y a tellement de recettes de gâteaux au fromage dans *500 nouvelles recettes faibles en glucides* que je n'en ai fait que trois dans ce livre. Cependant, les gâteaux au fromage se préparent très bien à la mijoteuse. N'hésitez donc pas à utiliser la mijoteuse pour essayer vos recettes préférées de gâteaux au fromage faibles en glucides.

Vous remarquerez que je suggère d'utiliser du fromage à la crème allégé (ou du Neufchâtel qui est, autant que je puisse dire, la même chose) et de la crème sure allégée dans ces recettes, au lieu des produits réguliers. Il y a une raison à cela : les versions allégées n'ont généralement pas plus de glucides que les régulières et sont, bien sûr, moins riches en calories. Je considère que c'est un avantage, et les gâteaux au fromage donnent de très bons résultats avec ces produits. Cependant, si vous le préférez, n'hésitez pas à utiliser les produits réguliers.

Gâteau au fromage Mochaccino

Ce gâteau au fromage est extraordinaire, aussi bon que tous les desserts que j'ai mangés dans les restaurants. À lui seul, il constitue une raison suffisante pour acheter une grande mijoteuse ronde et un moule à charnière de 20 cm (8 po) qui peut y entrer ! C'est aussi une bonne excuse pour préparer du Mockahlua, mais qui a besoin d'une excuse pour faire cette boisson ?

> Croûte croquante au chocolat (page suivante)
> 455 g (1 lb) de fromage à la crème allégé ou de fromage Neufchâtel, ramolli
> 1 œuf
> 60 ml (1/4 tasse) de crème 35 % M.G.
> 40 g (1/2 tasse) + 11 g (2 c. à table) de cacao en poudre non sucré
> 12 g (1/2 tasse) de Splenda
> 60 ml (1/4 tasse) de Mockahlua (page 289)
> 30 ml (2 c. à table) de café filtre

À l'aide du mixeur électrique, mélangez le fromage frais, l'œuf et la crème jusqu'à l'obtention d'une consistance lisse. (Vous devrez racler les côtés du bol plusieurs fois.) Incorporez le cacao en poudre, le Splenda, le Mockahlua et le café. Lorsque le mélange est redevenu très lisse, versez sur la croûte. Couvrez le moule à charnière à l'aide d'une feuille de papier d'aluminium que vous coincerez sous la jante pour que le tout soit hermétique.

Prenez une grande feuille de papier d'aluminium, d'au moins 45 cm (18 po) de long, et enroulez-la pour former un cylindre lâche. Formez un cercle avec le cylindre et placez-le au fond de la mijoteuse. (Vous faites un support pour le moule à charnière.) Versez 0,6 cm (1/4 po) d'eau au fond de la mijoteuse et déposez le moule à charnière sur le beignet en papier d'aluminium. Couvrez la mijoteuse. Laissez cuire de 3 à 4 heures à forte intensité.

Le temps de cuisson écoulé, éteignez le feu. Enlevez le couvercle de la mijoteuse et laissez-la se refroidir de 20 à 30 minutes avant d'enlever le moule à charnière de la mijoteuse. Réfrigérez avant de servir.

Il est bien de préparer une crème fouettée (page 290) avec un peu de Mockahlua pour faire une garniture, mais ce n'est pas essentiel.

Infos : 12 portions, chacune contenant 284 calories, 24 g de lipides, 11 g de protéines, 10 g de glucides, 4 g de fibres alimentaires et 6 g de glucides assimilables. (L'analyse nutritionnelle tient compte de la croûte au chocolat. Si vous le désirez, vous pourriez couper le gâteau en huit généreuses portions.)

Croûte croquante au chocolat

> 220 g (1 1/2 tasse) d'amandes
> 6 g (1/4 tasse) de Splenda
> 2 carrés de chocolat amer fondu
> 45 g (3 c. à table) de beurre fondu
> 16 g (2 c. à table) de protéines de petit-lait en poudre à la vanille

Préchauffez le four à 165 °C (325 °F).

Dans un robot culinaire muni d'une lame en « S », broyez les amandes jusqu'à l'obtention d'une texture semblable à celle de la farine de maïs. Ajoutez le Splenda. Mélangez en actionnant le robot. Incorporez le chocolat et le beurre en procédant de la même manière. (Vous devrez peut-être arrêter le robot et passer une lame de couteau sur le rebord pour être en mesure de bien mélanger tous les ingrédients.) Incorporez alors les protéines en poudre.

Déposez le mélange dans un moule à charnière de 20 cm (8 po) que vous aurez préalablement vaporisé d'un antiadhésif. À l'aide d'une cuillère, pressez le mélange au fond du moule. Faites cuire de 10 à 12 minutes au four. Laissez refroidir avant de procéder au remplissage.

Infos : 12 portions, chacune contenant 164 calories, 15 g de lipides, 6 g de protéines, 5 g de glucides, 3 g de fibres alimentaires et 2 g de glucides assimilables.

🫙 Gâteau au fromage style New York

Si vous aimez, vous pouvez le garnir de fruits, mais il extrêmement bon comme tel.

> Croûte « Graham » (page suivante)
> 455 g (1 lb) de fromage à la crème allégé ou de fromage Neufchâtel, ramolli
> 120 ml (1/2 tasse) de crème sure allégée
> 2 œufs
> 12 g (1/2 tasse) de Splenda
> 10 ml (2 c. à thé) d'extrait de vanille
> 1 pincée de sel

Préparez la croûte « Graham » et laissez-la refroidir.

À l'aide d'un mixeur électrique, mélangez le fromage, la crème sure et les œufs jusqu'à l'obtention d'une consistance lisse. (Vous devrez gratter les côtés du bol à plusieurs reprises.) Incorporez par la suite le Splenda, l'extrait de vanille et le sel. Versez ce mélange sur la croûte. Couvrez le moule à charnière à l'aide d'une feuille de papier d'aluminium que vous coincerez sous la jante pour que le tout soit hermétique.

Prenez une grande feuille de papier d'aluminium, d'au moins 45 cm (18 po) de long, et enroulez-la pour former un cylindre lâche. Formez un cercle avec le cylindre et placez-le au fond de la mijoteuse. (Vous faites un support pour le moule à charnière.) Versez 0,6 cm (1/4 de po) d'eau au fond de la mijoteuse et déposez le moule à charnière sur le beignet en papier d'aluminium. Couvrez la mijoteuse. Laissez cuire de 3 à 4 heures à forte intensité.

Le temps de cuisson écoulé, éteignez le feu. Enlevez le couvercle de la mijoteuse et laissez-la se refroidir de 20 à 30 minutes avant d'enlever le moule à charnière de la mijoteuse. Réfrigérez avant de servir.

Infos : 12 portions, chacune contenant 241 calories, 21 g de lipides, 8 g de protéines, 6 g de glucides, 2 g de fibres alimentaires et 4 g de glucides assimilables. (Si vous le désirez, vous pourriez couper le gâteau en huit généreuses portions.)

Croûte « Graham »

Le germe et le son de blé donnent une saveur de biscuit « graham » à cette croûte.

> 180 g (1 1/4 tasse) d'amandes
> 14 g (2 c. à table) de germe de blé
> 14 g (2 c. à table) de son de blé
> 4,5 g (3 c. à table) de Splenda
> 1 pincée de sel
> 80 g (6 c. à table) de beurre fondu

Préchauffez le four à 165 °C (325 °F).

Dans un robot culinaire muni d'une lame en « S », broyez les amandes jusqu'à l'obtention d'une texture semblable à celle de la farine de maïs. Ajoutez le germe de blé, le son de blé, le Splenda et le sel. Mélangez en actionnant le robot. Incorporez le beurre en procédant de la même manière. (Vous devrez peut-être arrêter le robot et passer une lame de couteau sur le rebord du bol pour être en mesure de bien mélanger tous les ingrédients.)

Déposez le mélange dans un moule à charnière de 20 cm (8 po) que vous aurez préalablement vaporisé d'un antiadhésif. À l'aide d'une cuillère, pressez le mélange au fond du moule. Faites cuire de 10 à 12 minutes au four ou jusqu'à ce que la croûte devienne dorée sur les bords. Laissez refroidir avant de procéder au remplissage.

Infos : 12 portions, chacune contenant 144 calories, 14 g de lipides, 3 g de protéines, 4 g de glucides, 2 g de fibres alimentaires et 2 g de glucides assimilables.

Gâteau au fromage et au beurre d'arachide

Vous pouvez le manger comme tel, mais je le préfère glacé avec une sauce au chocolat sans sucre. Je trouve la marque Sorbee à mon épicerie, mais vous pourriez en trouver d'autres sur Internet chez les marchands offrant des produits faibles en glucides. Vous pourriez aussi faire la recette de la page 288, ou encore, faire fondre de 170 à 225 g (6 à 8 oz) de votre barre de chocolat sans sucre préférée et l'incorporer au mélange de beurre d'arachide avant la cuisson. Les possibilités sont infinies !

> Croûte croquante au chocolat (page 268) ou croûte
> « Graham » (page 270)
> 455 g (1 lb) de fromage à la crème allégé ou de fromage
> Neufchâtel, ramolli
> 120 ml (1/2 tasse) de crème sure allégée
> 1 œuf
> 200 g (3/4 tasse) de beurre d'arachide naturel (le salé fait
> mieux que le sans sel, ici)
> 16 g (2/3 tasse) de Splenda
> 2,5 ml (1/2 c. à thé) de mélasse noire

Préparez votre croûte et réservez-la.

À l'aide d'un mixeur électrique, mélangez le fromage à la crème ou le Neufchâtel, la crème sure et l'œuf jusqu'à l'obtention d'une consistance lisse. (Vous devriez gratter les côtés du bol à plusieurs reprises.) Incorporez par la suite le beurre d'arachide, le Splenda et la mélasse.

Versez le mélange sur la croûte. Couvrez le moule à charnière à l'aide d'une feuille de papier d'aluminium que vous coincerez sous la jante pour que le tout soit hermétique.

Prenez une grande feuille de papier d'aluminium, d'au moins 45 cm (18 po) de long, et enroulez-la pour former un cylindre lâche. Formez un cercle avec le cylindre et placez-le au fond de la mijoteuse. (Vous faites un support pour le moule à charnière.) Versez 0,6 cm (1/4 po) d'eau au fond de la mijoteuse et déposez le moule à charnière sur le beignet en papier d'aluminium. Couvrez la mijoteuse. Laissez cuire de 3 à 4 heures à forte intensité.

Le temps de cuisson écoulé, éteignez le feu. Enlevez le couvercle de la mijoteuse et laissez-la se refroidir de 20 à 30 minutes avant d'enlever le moule à charnière de la mijoteuse. Réfrigérez avant de servir.

Infos : 12 portions, chacune contenant 364 calories, 32 g de lipides, 13 g de protéines, 10 g de glucides, 4 g de fibres alimentaires et 6 g de glucides assimilables. (L'analyse nutritionnelle tient compte de la croûte au chocolat, mais pas de la sauce au chocolat ou du chocolat fondu que vous pourriez ajouter ! Si vous le désirez, vous pourriez couper le gâteau en huit généreuses portions.)

CHAPITRE DOUZE

Quelques extras...

Voici le chapitre où j'ai classé toutes les recettes qui vous aideront à réaliser les autres. Cependant, à vrai dire, il ne s'agit pas de recettes pour la mijoteuse. Par ailleurs, il m'a semblé pratique de les regrouper dans un même chapitre. La plupart de ces recettes ont été publiées dans l'un ou l'autre de mes livres de cuisine déjà parus. Nous ne les avons toutefois pas comptées dans le total de 200 recettes pour la mijoteuse ; c'est la raison pour laquelle il s'agit vraiment d'extras…

Ketchup sans sucre de Dana

Cette recette a été publiée dans tous mes livres de cuisine parce que le ketchup est un ingrédient essentiel dans de nombreuses recettes, mais que les ketchups du commerce contiennent habituellement trop de sucre. Récemment, le ketchup faible en glucides est apparu dans certaines épiceries. Si vous pouvez en acheter, faites-le, parce que les manufacturiers d'aliments peuvent obtenir des ingrédients que le cuisinier amateur ne peut se procurer, ce qui fait que le ketchup faible en glucides du commerce contient moins de glucides que ma recette. Cependant, si vous ne pouvez pas trouver de ketchup faible en glucides, ma recette est simple à faire, a bon goût et contient environ moitié moins de glucides que le ketchup régulier. L'information nutritionnelle des recettes qui comptent le ketchup parmi leurs ingrédients se base sur cette recette maison. Si vous utilisez le ketchup faible en glucides du commerce, les valeurs pourront être un peu plus basses.

> 170 g (6 onces) de pâte de tomate
> 160 ml (2/3 tasse) de vinaigre de cidre
> 80 ml (1/3 tasse) d'eau
> 8 g (1/3 tasse) de Splenda
> 20 g (2 c. à table) d'oignon émincé
> 2 gousses d'ail broyées
> 5 g (1 c. à thé) de sel
> 0,75 ml (1/8 c. à thé) de piment de la Jamaïque moulu
> 0,75 ml (1/8 c. à thé) de clous de girofle moulus
> 0,25 g (1/8 c. à thé) de poivre

Mettez tous les ingrédients dans un mélangeur. Battez jusqu'à ce que les morceaux d'oignon soient disparus. Versez le ketchup dans un contenant muni d'un couvercle hermétique en raclant les parois du bol. Réfrigérez.

Infos : Donne environ 360 ml (1 1/2 tasse) ou 12 portions de 30 ml (2 c. à table), chacune contenant 15 calories, des traces de lipides, 1 g de protéines, 5 g de glucides, 1 g de fibres alimentaires et 4 g de glucides assimilables.

Sauce cocktail

Vous en aurez besoin pour accompagner les crevettes des jours de fête de la page 30 !

120 ml (1/2 tasse) de ketchup sans sucre de Dana (page 276) ou de ketchup faible en glucides du commerce
10 g (2 c. à thé) de raifort préparé
1,25 ml (1/4 c. à thé) de sauce Tabasco
5 ml (1 c. à thé) de jus de citron

Mélangez bien tous les ingrédients dans un bol.

Infos : Donne 120 ml (1/2 tasse). La recette entière contient 142 calories, 1 g de lipides, 5 g de protéines, 36 g de glucides, 6 g de fibres alimentaires et 30 g de glucides assimilables. Une chance que vous la partagerez ! Vous pouvez abaisser considérablement la valeur en glucides en utilisant un ketchup faible en glucides du commerce.

Sauce barbecue soleil de la Floride

Cette sauce possède une agréable touche de tangerine, ce qui est aussi inhabituel que délicieux. Son goût piquant et épicé vous réchauffera autant que le soleil de la Floride. Cette sauce est particulièrement savoureuse avec la volaille. Vous pouvez l'utiliser dans n'importe quelle des recettes qui demandent une sauce barbecue ou utiliser la sauce barbecue Kansas City dont la recette apparaît à la page suivante. La présente recette est plus faible en glucides, mais moins traditionnelle. Vous pouvez également acheter une sauce barbecue faible en glucides du commerce. C'est à votre choix !

360 ml (12 oz) de soda à la mandarine diète
6 g (1/4 tasse) de Splenda
7 g (1 c. à table) de poudre de chili
4 g (2 c. à thé) de poivre noir
5 ml (1 c. à thé) de gingembre
3 g (1 c. à thé) de moutarde sèche
5 g (1 c. à thé) de sel d'oignon
4 gousses d'ail broyées
0,75 g (1/2 c. à thé) de Cayenne
0,75 g (1/2 c. à thé) de coriandre moulue
2,5 ml (1/2 c. à thé) de flocons de piments de Cayenne
1 feuille de laurier
120 ml (1/2 tasse) de vinaigre de cidre
20 g (1 c. à table) de substitut de miel (sans sucre)
15 ml (1 c. à table) de sauce Worcestershire
180 ml (3/4 tasse) de ketchup sans sucre de Dana (page 276)
   ou de ketchup faible en glucides du commerce

Versez le soda dans une casserole non réactive et chauffez-le à feu moyen-doux. Entre-temps, mesurez les autres ingrédients de la sauce. Au moment où vous arriverez au ketchup, le contenu de la casserole devrait bouillir. Incorporez tous les ingrédients. À l'aide d'un fouet, mélangez le tout jusqu'à l'obtention d'une consistance lisse. Laissez mijoter à feu doux de 10 à 15 minutes.

Infos : Donne environ 720 ml (3 tasses) ou 24 portions de 30 ml (2 c. à table), chacune contenant 11 calories, des traces de lipides et de protéines, 3 g de glucides, des traces de fibres alimentaires et 3 g de glucides assimilables.

Sauce barbecue Kansas City de Dana

Cette recette, tirée du *Livre du barbecue*, offre ce que la plupart d'entre nous ont à l'esprit quand ils pensent « sauce barbecue » : une sauce tomate épicée et sucrée. La Kansas City ressemble incroyablement à une sauce barbecue commerciale des plus populaires — et mon mari, qui a grandi à Kansas City, est d'accord. Pour une touche de saveur fumée, ajoutez-y 5 ml (1 c. à thé) d'arôme de fumée liquide. (Note : si vous pouvez en trouver facilement, la sauce barbecue commerciale faible en glucides pourrait être plus faible en glucides que la présente recette.)

> 28 g (2 c. à table) de beurre
> 1 gousse d'ail broyée
> 25 g (1/4 tasse) d'oignon émincé
> 15 ml (1 c. à table) de jus de citron
> 240 ml (1 tasse) de ketchup sans sucre de Dana (page 276) ou de ketchup faible en glucides du commerce
> 8 g (1/3 tasse) de Splenda
> 20 g (1 c. à table) de mélasse noire
> 30 ml (2 c. à table) de sauce Worcestershire
> 7 g (1 c. à table) de poudre de chili
> 15 ml (1 c. à table) de vinaigre blanc
> 1 g (1 c. à thé) de poivre
> 1,25 g (1/4 c. à thé) de sel

Dans une casserole, combinez les ingrédients et chauffez à feu doux en remuant jusqu'à ce que le beurre soit fondu. Laissez mijoter de 5 à 10 minutes. Et le tour est joué !

Infos : Donne environ 420 ml (1 3/4 tasse) ou 14 portions de 30 ml (2 c. à table), chacune contenant 45 calories, 3 g de lipides, 1 g de protéines, 7 g de glucides, 1 g de fibres alimentaires et 6 g de glucides assimilables.

Sauce à la moutarde du Piedmont

Cette sauce brun clair, riche en moutarde mais ne contenant pas de tomate, est typique de la région de Piedmont en Caroline du Nord. Essayez-la avec les lanières de porc fumées à la mijoteuse (page 170).

  125 g (1/2 tasse) de moutarde blanche
  30 ml (2 c. à table) de jus de citron
  3 g (2 c. à table) de Splenda
  15 ml (1 c. à table) de vinaigre blanc
  0,5 g (1/4 c. à thé) de Cayenne

Dans une casserole en matière non réactive, mélangez bien tous les ingrédients. Laissez mijoter à feu doux environ 5 minutes.

Infos : Donne environ 180 ml (3/4 tasse) ou 6 portions de 30 ml (2 c. à table), chacune contenant 17 calories, 1 g de lipides, 1 g de protéines, 2 g de glucides, 1 g de fibres alimentaires et 1 de glucides assimilables.

Sauce au vinaigre de la Caroline de l'Est

Il s'agit de la sauce traditionnelle utilisée sur les côtes levées en Caroline de l'Est. Cette sauce vinaigrée et sucrée est relevée avec des piments forts. Elle accompagne à merveille les lanières de porc fumées à la mijoteuse (page 170) !

120 ml (1/2 tasse) de vinaigre de cidre
2 g (1 1/2 c. à table) de Splenda
1,25 ml (1/4 c. à thé) de mélasse noire
5 ml (1 c. à thé) de piment broyé
0,5 g (1/4 c. à thé) de poivre de Cayenne

Dans une casserole, mélangez bien tous les ingrédients. Laissez mijoter à feu doux environ 5 minutes.

Infos : 6 portions, chacune contenant 4 calories, des traces de lipides et de protéines, 2 g de glucides, des traces de fibres alimentaires et 2 g de glucides assimilables.

 Sauce Hoisin

La sauce Hoisin est une sauce barbecue traditionnelle chinoise. On la prépare généralement à partir de pâte de soja fermentée, un produit très riche en sucre. Habituellement, cette sauce ne contient pas de beurre d'arachide mais, dans la présente version, cela lui donne très bon goût. Cette recette est tirée de *500 recettes à faible teneur en glucides*.

> 60 ml (4 c. à table) de sauce soja
> 32 g (2 c. à table) de beurre d'arachide naturel, crémeux
> 3 g (2 c. à table) de Splenda
> 10 ml (2 c. à thé) de vinaigre blanc
> 1 gousse d'ail broyée
> 10 ml (2 c. à thé) d'huile de sésame foncée
> 0,75 ml (1/8 c. à thé) de cinq-épices chinoises en poudre

Combinez tous les ingrédients dans un mélangeur jusqu'à l'obtention d'une consistance lisse et homogène. Réfrigérez dans un contenant hermétique. Si vous aimez cette recette, n'hésitez pas à doubler ou à tripler les quantités suggérées.

Infos : Donne environ 80 ml (1/3 tasse) ou 6 portions d'environ 15 ml (1 c. à table), chacune contenant 52 calories, 4 g de lipides, 2 g de protéines, 2 g de glucides, des traces de fibres alimentaires et 1 g de glucides assimilables.

Sauce teriyaki faible en glucides

Il existe maintenant des sauces teriyaki commerciales faibles en glucides, mais je préfère celle-ci. Elle est si simple à réaliser. Pourquoi vous en priveriez-vous ?

> 120 ml (1/2 tasse) de sauce soja
> 60 ml (1/4 tasse) de xérès sec
> 1 gousse d'ail broyée
> 3 g (2 c. à table) de Splenda
> 8 g (1 c. à table) de racine de gingembre râpée

Mélangez tous les ingrédients. Réfrigérez jusqu'à ce que vous soyez prêt à l'utiliser.

Infos : Donne 180 ml (3/4 tasse) ou 12 portions de 15 ml (1 c. à table), chacune contenant 13 calories, des traces de lipides, 1 g de protéines, 1 g de glucides, des traces de fibres alimentaires et 1 g de glucides assimilables.

Assaisonnement barbecue classique

Cet assaisonnement barbecue a d'abord été publié dans *Le livre du barbecue*. Il demeure un bon choix pour n'importe quelle recette qui demande un assaisonnement barbecue.

6 g (1/4 tasse) de Splenda
18 g (1 c. à table) de sel assaisonné
8 g (1 c. à table) de poudre d'ail
18 g (1 c. à table) de sel de céleri
9 g (1 c. à table) de poudre d'oignon
18 g (2 c. à table) de paprika
9 g (1 c. à table) de chili en poudre
4 g (2 c. à thé) de poivre
5 ml (1 c. à thé) de poivre au citron
5 ml (1 c. à thé) de sauge moulue
3 g (1 c. à thé) de moutarde sèche
2,5 ml (1/2 c. à thé) de thym
0,75 g (1/2 c. à thé) de Cayenne

Mélangez tous les ingrédients. Conservez-les dans un contenant hermétique.

Infos : Donne environ 200 ml (13 c. à table) d'assaisonnement, chaque cuillérée à table contenant 13 calories, des traces de lipides, 1 g de protéines, 2 g de glucides, 1 g de fibres alimentaires et 1 g de glucides assimilables.

 Assaisonnement cajun

Cet assaisonnement à la manière de la Nouvelle-Orléans est tiré de *500 recettes à faible teneur en glucides*. Vous pouvez le saupoudrer sur le poulet, le bifteck, le porc, le poisson, ou à peu près n'importe quoi. Il est très bon dans toutes les recettes de ce livre qui demandent un assaisonnement cajun. Si vous préférez un assaisonnement du commerce, ne vous gênez pas.

> 18 g (2 c. à table) de paprika
> 30 g (2 c. à table) de sel
> 16 g (2 c. à table) de poudre d'ail
> 6 g (1 c. à table) de poivre
> 9 g (1 c. à table) de poudre d'oignon
> 5 g (1 c. à table) de Cayenne
> 4 g (1 c. à table) d'origan séché
> 3 g (1 c. à table) de thym séché

Mélangez tous les ingrédients. Conservez-les dans un contenant hermétique.

Infos : Donne 160 ml (2/3 tasse). La recette entière contient 187 calories, 4 g de lipides, 8 g de protéines, 37 g de glucides, 9 g de fibres alimentaires et 28 g de glucides assimilables. Comme cet assaisonnement est assez relevé, vous n'en utiliserez probablement que 5 à 10 ml (1 à 2 c. à thé) à la fois. Une cuillère à thé contient 1 gramme de glucides et des traces de fibres.

Assaisonnement adobo

L'assaisonnement adobo est très populaire en Amérique latine et dans les Caraïbes ! Vous pouvez le trouver dans la section des produits internationaux de votre épicerie. Si ce n'est pas le cas, il est facile à faire.

25 g (10 c. à thé) de poudre d'ail
25 ml (5 c. à thé) d'origan séché
10 g (5 c. à thé) de poivre
7,5 g (2 1/2 c. à thé) de paprika
25 g (5 c. à thé) de sel

Mélangez tous les ingrédients dans un bol. Conservez-les dans un contenant hermétique.

Infos : Donne un peu plus de 120 ml (1/2 tasse) ou environ 48 portions de 2,5 ml (1/2 c. à thé), chacune contenant 3 calories, des traces de lipides et de protéines, 1 g de glucides, des traces de fibres alimentaires et 1 g de glucides assimilables.

Garam masala

C'est un mélange d'épices indien utilisé dans plusieurs des recettes de curry de ce livre. Vous pouvez trouver du garam masala dans les grandes épicerie ou dans un marché asiatique. Mais si ce n'est pas le cas, vous pouvez faire le vôtre.

6 g (2 c. à table) de cumin moulu
10 g (2 c. à table) de coriandre moulue
6 g (2 c. à table) de cardamome moulue
9 g (1 1/2 c. à table) de poivre noir
20 ml (4 c. à thé) de cannelle moulue
2,5 ml (1/2 c. à thé) de clous de girofle moulus
5 ml (1 c. à thé) de muscade moulue

Mélangez tous les ingrédients. Conservez-les dans un contenant hermétique.

Infos : Donne environ 135 ml ou 9 portions de 15 ml (9 c. à table au total), chacune contenant 19 calories, 1 g de lipides, 1 g de protéines, 4 g de glucides, 1 g de fibres alimentaires et 3 g de glucides assimilables.

Sauce au chocolat sans sucre

Je dirais que cette sauce vaut bien n'importe quelle sauce au chocolat que vous ayez déjà goûtée. Je vous en donne ma parole. N'essayez pas de la faire avec du Splenda, ça ne marcherait pas ; les polyols semblent avoir l'effet d'unifier le chocolat et l'eau. C'est de la chimie, de la magie ou je ne sais trop quoi ! Vous serez très probablement obligé de commander le maltitol. Faites une recherche sur Internet en utilisant les mots clés « low carbohydrate » ou « faible en glucides », et vous trouverez des douzaines de sites prêts à vous expédier tout ce que votre cœur désire recevoir. Mon site favori est Carb Smart.

> 80 ml (1/3 tasse) d'eau
> 60 g (2 oz) de chocolat à cuisson non sucré
> 120 g (1/2 tasse) de maltitol
> 45 g (3 c. à table) de beurre
> 1,25 ml (1/4 c. à thé) de vanille

Dans une tasse à mesurer en verre, combinez l'eau et le chocolat. Chauffez le mélange de 1 à 1 1/2 minute au micro-ondes à puissance maximale ou jusqu'à ce que le chocolat soit fondu. Incorporez le maltitol. Chauffez 3 autres minutes à puissance maximale en remuant à mi-cuisson. Ajoutez le beurre et la vanille. Servez.

> NOTE : Cette recette a très bien fonctionné avec du maltitol. Cependant, quand j'ai essayé la même chose avec d'autres polyols en granules — erythritol, isomalt —, le tout s'est terminé par une espèce de cristallisation de la sauce. Je demeure donc fidèle au maltitol.

Infos : Donne environ 240 ml (1 tasse) ou 8 portions de 30 ml
(2 c. à table), chacune contenant 75 calories, 8 g de lipides, 1 g de
protéines, 2 g de glucides, 1 g de fibres alimentaires et 1 g de
glucides assimilables. (L'analyse nutritionnelle ne tient pas compte
du maltitol.)

Mockahlua

Cette recette est tirée de *500 recettes à faible teneur en glucides* mais,
puisque je l'utilise dans quelques desserts, j'ai pensé que je ferais
mieux de me répéter ! Cette recette donne une bonne quantité de
Mockahlua mais, n'ayez crainte, la vodka étant un bon agent de
conservation, le Mockahlua se conservera indéfiniment.

> 600 ml (2 1/2 tasses) d'eau
> 75 g (3 tasses) de Splenda
> 8 g (3 c. à table) de cristaux de café instantané
> 5 ml (1 c. à thé) d'extrait de vanille
> 750 ml (1 bouteille) de vodka (la moins chère fera l'affaire)

Dans un pichet ou une grande tasse à mesurer, mélangez l'eau, le
Splenda, les cristaux de café et l'extrait de vanille. Remuez jusqu'à
ce que le café et le Splenda soient bien dilués.

À l'aide d'un entonnoir, versez le mélange dans une bouteille vide
de 1,5 ou 2 litres (une vieille bouteille de vin propre et son
bouchon en liège feront l'affaire). Ajoutez la vodka. Fermez.
Agitez bien la bouteille.

Infos : 32 portions de 45 ml (1 1/2 oz), chacune contenant
53 calories, 0 g de lipides, des traces de protéines et de glucides,
0 g de fibres alimentaires et des traces de glucides assimilables.

 Crème fouettée

Je continue à reproduire cette recette, mais il s'agit d'une crème fouettée classique qui est merveilleuse pour garnir n'importe quel dessert.

> 240 ml (1 tasse) de crème 35 % M.G., refroidie
> 15 ml (3 c. à thé) de mélange à pouding instantané à la vanille (sans sucre)

Fouettez la crème et le mélange à pouding. Utilisez le mixeur électrique ou un fouet ; un mélangeur manuel ou un robot culinaire ne ferait pas l'affaire. Arrêtez de fouetter lorsque la crème est belle et épaisse, sinon vous obtiendrez un beurre à la vanille !

Si vous la préparez d'avance, réfrigérez la crème fouettée jusqu'à ce que vous soyez prêt à servir le dessert.

Infos : 8 portions, chacune contenant 104 calories, 11 g de lipides, 1 g de protéines, 1 g de glucides, 0 g de fibres alimentaires et 1 g de glucides assimilables.

Fleur-riz

Mes remerciements à Fran McCullough ! J'ai trouvé cette idée dans son livre *Living Low-Carb*, et je m'en sers très souvent depuis.

> 1/2 tête de chou-fleur

Dans un robot culinaire muni d'une lame en « S », broyez le chou-fleur ; sa texture ressemblera énormément à celle du riz. Vous pourrez par la suite le cuire à la vapeur, au micro-ondes, voire le faire sauter dans le beurre. Quel que soit le mode de cuisson retenu, ne faites pas trop cuire le chou-fleur ! D'habitude, je mets le mien dans un plat allant au micro-ondes muni d'un couvercle et j'ajoute de 30 à 45 ml (2 à 3 c. à table) d'eau. Je le cuis 7 minutes à puissance maximale.

Infos : Donne environ 720 ml (3 tasses) ou de 3 à 4 portions. Trois portions contiendraient chacune 24 calories, des traces de lipides, 2 g de protéines, 5 g de glucides, 2 g de fibres alimentaires et 3 g de glucides assimilables.

Fauxtates

Cette recette propose un merveilleux substitut à la purée de pommes de terre. Elle vous donnera quelque chose pour déposer vos fabuleuses sauces (notamment à la crème sure) ! N'hésitez pas à utiliser du chou-fleur surgelé ; le résultat sera aussi bon.

> 1 tête de chou-fleur ou 700 g (1 1/2 lb) de chou-fleur surgelé
> 55 g (4 c. à table) de beurre

Faites cuire le chou-fleur à la vapeur ou au micro-ondes jusqu'à ce qu'il soit tendre. Égouttez-le parfaitement. À l'aide d'un mélangeur ou d'un robot culinaire, réduisez-le en purée. Ajoutez le beurre. Salez et poivrez.

Infos : 6 portions, chacune contenant 72 calories, 8 g de lipides, des traces de protéines, 1 g de glucides, des traces de fibres alimentaires et des traces de glucides assimilables. (Il s'agit de six généreuses portions.)

Fauxtates nec plus ultra

Je ne raffole pas du mélange Ketatoes en tant que tel mais, en l'ajoutant au chou-fleur pour faire des fauxtates, il ajoute une saveur de pommes de terre et une texture tout à fait convaincantes ! C'est un plat d'accompagnement champion pour beaucoup de vos plats principaux à la mijoteuse.

> 1/2 tête de chou-fleur
> 50 g (1/2 tasse) de mélange Ketatoes
> 120 ml (1/2 tasse) d'eau bouillante
> 28 g (1 c. à table) de beurre

Enlevez la base de la tige de votre chou-fleur. Coupez le reste de la tête en gros morceaux. Déposez ces derniers dans un plat allant au micro-ondes et muni d'un couvercle. Ajoutez de 30 à 45 ml (2 à 3 c. à table) d'eau. Faites cuire de 8 à 9 minutes à puissance maximale.

Entre-temps, dans un bol, combinez à l'aide d'un fouet le mélange Ketatoes et l'eau bouillante.

Quand le signal du micro-ondes se fera entendre, retirez le chou-fleur ; il devrait être tendre. Égouttez-le bien. Mettez-le dans un robot culinaire muni d'une lame en « S » ou dans un mélangeur ; peu importe, réduisez-le en une purée lisse. Incorporez la purée de chou-fleur au mélange Ketatoes et eau. En remuant le mélange, ajoutez le beurre et continuez de remuer jusqu'à ce qu'il soit fondu. Salez et poivrez. Les fauxtates sont prêtes à servir!

Infos : 4 portions, chacune contenant 140 calories, 5 g de lipides, 10 g de protéines, 14 g de glucides, 8 g de fibres alimentaires et 6 g de glucides assimilables.

Index

A

Abricot(s)
   Côtes levées au gingembre et au
   romarin, glacées à l', 173
   Flan à l', 262
   Porc braisé aux, 143
Adobo, *Voir* Assaisonnement
Agneau
   à l'antillaise, 192
   À propos de l', 185
   Boulettes de viande au colombo avec
   sauce Jerk, 28
   Jarret d'agneau à la cachemirienne, 188
   Jarret d'agneau au citron, 187
   Jarret d'agneau au vin rouge, 186
   Jarret d'agneau vraiment simple, 189
   Ragoût d'agneau à la provençale, 190
Ail, 20
Ailes de dinde
   barbecue, 94
   braisées aux champignons, 93
Ailes de poulet glacées, 25
Ailloli à l'avocat, 117
Albondigas en salsa chipotle, 210

Amandes
   au beurre épicé, 46
   Boulettes de pâte, 83
   Croûte croquante au chocolat, 268
   Croûte « Graham », 270
   Grignotines de Dana, à la mijoteuse, 41
   Sole farcie aux amandes et beurre à
   l'orange, 197
Arachides (beurre d'arachide)
   fumées au chili, 46
   Gâteau au fromage et au beurre d', 272
   Grignotines de Dana, à la mijoteuse, 41
   Marmite thaïe épicée, 78
Artichaut(s)
   faciles, 238
   Poulet à la méditerranéenne, 74
   Poulet au thym et aux, 69
   Trempette à l'artichaut, aux épinards
   et à la ranch, 38
   Trempette chaude aux, 36
Asperges de Maria, 238
Assaisonnement
   adobo, 286
   barbecue classique, 284
   cajun, 285
   Garam masala, 287

Avocat
Ailloli à l', 114

B

Bacon
Brocoli au bacon et aux pignons de
pin, 242
Minestrone au poulet, 226
Poulet des années 1960 à la manière de
ma mère (révisée), 71
Quiche au brocoli, au bacon et au
Colby, 50
Trempette au fromage et au, 34
Bagna Cauda, 35
Barbecue
Ailes de dinde, 94
à la mijoteuse, 166
Assaisonnement barbecue
classique, 284
Boulettes de viande barbecue aux
canneberges, 26
du Sud-Ouest, 81
Fauxtates barbecue au cheddar, 243
Haricots verts barbecue, 234
Sauce barbecue Kansas City de
Dana, 279
Sauce barbecue soleil de la
Floride, 278
Beurre d'arachide. *Voir* Arachides
Bière
À propos de la, 15
Bœuf à la, 134
Potage bistro, 228
Poulet et légumes à la, 89
Bifteck suisse, 127
Biftecks en sauce, 119
Bœuf
à la bière, 134
à la salsa, 130
Albondigas en salsa chipotle, 210
à l'italienne, 120

aux pepperoncini, 133
Bifteck suisse, 127
Biftecks en sauce, 119
Bollito misto, 215
Bouilli de la Nouvelle-Angleterre, 102
Bouts de côtes de bœuf à faible teneur
en glucides, 137
Bouts de côtes de bœuf à l'asiatique,
105
Bouts de côtes de bœuf au vin et aux
champignons, 115
Carbonade, 109
Carne all'Ungherese, 125
Chili 911, 124
Corned-beef glacé à l'érable et ses
légumes, 103
et brocoli, 108
et sauce asiatique aux champignons,
114
Pain de viande, 204
Pain de viandes mélangées de Morty,
205
Poitrine de bœuf aux chipotles, 129
Queue de bœuf Pontchartrain, 131
Ragoût à pizza, 207
Ragoût de bœuf et de courgettes, 128
Ragoût de bouts de côtes de bœuf, 116
Ragoût mexicain, 122
Ragoût réconfortant, 123
Ragoût romain, 121
Rôti braisé au vinaigre balsamique, 106
Rôti braisé bavarois, 107
Rôti braisé pékinois, 135
Rôti braisé presto, 132
Sauerbrauten, 111
Soupe mexicaine au bœuf et aux
haricots, 225
Stroganoff, 112
Bœuf braisé
Bœuf à la bière, 134
Bœuf à la salsa, 130
Bœuf aux pepperoncini, 133

Bœuf et sauce asiatique aux champignons, 114
Corned-beef glacé à l'érable et ses légumes, 103
Rôti braisé au vinaigre balsamique, 106
Rôti braisé bavarois, 107
Rôti braisé pékinois, 135
Rôti braisé presto, 132
Sauerbrauten, 111
Voir aussi Bœuf ; Porc ; Ragoût ;
Bœuf haché. *Voir* Bœuf
Boissons
 Mockahlua, 289
 Moka à la cannelle, 265
Bollito misto, 215
Bols de poulet à la thaïe, 76
Bouilli de la Nouvelle-Angleterre, 102
Bouillons, 17
Bouillons concentrés. *Voir* Concentrés de bouillon
Boulettes de pâte, 83
Boulettes de viande
 Albondigas en salsa chipotle, 210
 au colombo avec sauce Jerk, 28
 barbecue aux canneberges, 26
Bouts de côtes de boeuf
 à l'asiatique, 105
 à faible teneur en glucides, 137
 au vin et aux champignons, 115
Brocoli
 au bacon et aux pignons de pin, 242
 Bœuf et, 108
 Quiche au brocoli, au bacon et au Colby, 50
Burritos au poulet, 54

C

Cajun(s)
 Assaisonnement, 285
 Pacanes aux épices, 43

Cajou (noix de)
 Grignotines de Dana, à la mijoteuse, 41
Canneberges
 Boulettes de viande barbecue aux, 26
 Chutncy aux canneberges et aux pêches, 252
 Rôti de dinde aux canneberges et à la pêche, 92
 Sauce aux, 251
Carbonade, 109
Cari
 Pacanes au, 45
 Poulet au cari et au lait de coco, 60
 Ragoût de porc au, 152
Carne all'Ungherese, 125
Carottes
 Porc braisé aux légumes et sauce crémeuse aux champignons, 144
 Poulet aux carottes, au chou, aux navets et aux aromates, 64
 Ragoût de porc aux pommes, 153
Casserole
 de fruits de mer du garde-manger, 200
 de haricots verts, 237
 d'épinards au parmesan, 239
Champignons
 Ailes de dinde braisées aux, 93
 au citron et au parmesan, 247
 Bœuf et sauce asiatique aux, 114
 Bouts de côtes de bœuf au vin et aux, 115
 Crème de, 221
 Dinde en sauce aux, 98
 Porc braisé aux légumes et sauce crémeuse aux, 144
 Potage de poulet et de champignons épicé, 227
 Poulet « J'ai une vie ! », 88
 Poulet à la méditerranéenne, 74
 Poulet et boulettes de pâte, 82
 Soupe au poulet et aux légumes avec épices thaïes, 222

Chaudrée
    de fruits de mer, 231
    de palourdes Nouvelle-Angleterre à la
    façon de Maria, 220
Chili
    911, 124
    au porc, 156
    au poulet facile à faire, 55
    verde au poulet, 56
Chipotle(s), 18
    Albondigas en salsa, 210
    Poitrine de bœuf aux, 129
    Poulet à la sauce framboise et aux, 62
Chocolat
    Croûte croquante au, 268
    Flan au, 256
    Gâteau au fromage Mochaccino, 267
    Moka à la cannelle, 265
    Mole poblano, 73
    Sauce au chocolat sans sucre, 288
Chou
    bavarois, 249
    Corned-beef glacé à l'érable et ses
    légumes, 103
    Côtes levées à la choucroute, 164
    Côtes levées à la choucroute et aux
    pommes, 165
    Porc au, 146
    Porc Mu Shu, 157
    Potage allemand (sans pommes de
    terre), 218
    Poulet aux carottes, au chou, aux
    navets et aux aromates, 64
    Poulet et légumes à l'italienne, 67
    Ragoût d'os de cou de porc au chou et
    au navet, 176
Choucroute
    Côtes levées à la, 164
    Côtes levées à la choucroute et aux
    pommes, 165
    garnie, 183

Chou-fleur
    À propos du, 18
    Bols de poulet à la thaïe, 76
    Chaudrée de fruits de mer, 231
    Côtes levées à la choucroute et aux
    pommes, 165
    Fauxtates, 243
    Fauxtates à l'ail et aux herbes
    italiennes, 244
    Fauxtates à l'oignon et à l'ail, 246
    Fauxtates barbecue au cheddar, 243
    Fauxtates *nec plus ultra*, 292
    Fauxtates ranch à l'échalote verte, 245
    Fleur-riz, 290
    Macadangdang, 240
    Marmite thaïe épicée, 78
    Os du cou et « riz », 177
    Porc aigre-doux, 151
    Potage allemand (sans pommes de
    terre), 218
    Potage au chou-fleur, aux épinards et
    au fromage, 216
    Potage (sans pommes de terre), 217
    Ragoût crémeux au jambon, 149
    Ragoût de porc au cari, 152
    Yassa, 79
Chutney, 250
    aux canneberges et aux pêches, 252
Citron
    Champignons au citron et au
    parmesan, 247
    Darnes de saumon à la moutarde et au,
    195
    Jarret d'agneau au, 187
    Poulet au, 68
Citrouille
    Flan à la citrouille et à l'érable, 260
    Voir aussi Graines de citrouille
Cocido de Puerco, 178
Concentrés de bouillon, 18
Condiments
    Assaisonnement classique, 284

Chutney, 250
Chutney aux canneberges et aux pêches, 252
Ketchup sans sucre de Dana, 276
Sauce cocktail, 277
Voir aussi Sauce
Confitures faibles en glucides, 22
Coquilles Saint-Jacques à la lime, 194
Corned-beef
Bouilli de la Nouvelle-Angleterre, 102
glacé à l'érable et ses légumes, 103
Côtelettes de porc
acidulées, 181
à la moutarde et à l'oignon, 182
Côtes levées de boeuf
Bouts de côtes de bœuf à faible teneur en glucides, 137
Bouts de côtes de bœuf à l'asiatique, 105
Bouts de côtes de bœuf au vin et aux champignons, 115
Côtes levées de porc
à la choucroute, 164
à la choucroute et aux pommes, 165
à la Key West, 161
à la polynésienne, 167
asiatiques épicées, 160
au gingembre et au romarin, glacées à l'abricot, 173
au soja et au sésame, 168
Barbecue à la mijoteuse, 166
épicées à l'érable, 162
épicées et fruitées, 172
teriyaki, 171
teriyaki à la tangerine, 169
Courgettes
Cocido de Puerco, 178
Minestrone au poulet, 226
Ragoût de bœuf et de, 128
Ragoût de poulet, 63

Crabe
Casserole de fruits de mer du garde-manger, 200
Trempette chaude au, 37
Crème de champignons, 221
Crème fouettée, 290
Crevettes
aigres-douces, 198
Casserole de fruits de mer du garde-manger, 200
Chaudrée de fruits de mer, 231
des jours de fête, 30
Marmite thaïe épicée, 78
Crock-Pots,
Voir aussi Mijoteuse(s)
Croûte croquante au chocolat, 268
Cuisine africaine
Ragoût de poulet à l'éthiopienne, 91
Yassa, 79
Cuisine asiatique
Bœuf et brocoli, 108
Bœuf et sauce asiatique aux champignons, 114
Bols de poulet à la thaïe, 76
Bouts de côtes de bœuf à l'asiatique, 105
Côtes levées à la polynésienne, 167
Côtes levées asiatiques épicées, 160
Côtes levées au soja et au sésame, 168
Côtes levées épicées et fruitées, 172
Côtes levées teriyaki, 171
Côtes levées teriyaki à la tangerine, 169
Crevettes aigres-douces, 198
Flan du Sud-Est asiatique à la noix de coco, 258
Marmite thaïe épicée, 78
Pain de viande à la dinde aux saveurs thaïes, 258
Porc aigre-doux, 151
Porc Mu Shu, 157
Poulet au cari et au lait de coco, 60
Poulet teriyaki à l'orange, 75

Poulet Vindaloo, 61
Ragoût de porc au cari, 152
Rôti braisé pékinois, 135
Soupe au poulet et aux légumes avec
épices thaïes, 222
Cuisine française
Carbonade, 109
Choucroute garnie, 183
Ragoût d'agneau à la provençale, 190
Cuisine italienne
Bœuf à l'italienne, 120
Bollito misto, 215
Fauxtates à l'ail et aux herbes
italiennes, 244
Minestrone au poulet, 226
Poulet à la toscane, 87
Poulet cacciatore, 57
Poulet et légumes à l'italienne, 67
Cuisine mexicaine
Albondigas en salsa chipotle, 210
Burritos au poulet, 54
Chili au poulet facile à faire, 55
Chili verde au poulet, 56
Mole poblano (poulet au chocolat), 73
Ragoût mexicain, 73
Soupe mexicaine au bœuf et aux
haricots, 225
Cuisses de dinde aux chipotles, 97

D

Darnes de saumon à la moutarde et
au citron, 195
Daube de porc facile, 142
Dessert(s)
à la rhubarbe, 264
À propos des, 255
Crème fouettée, 290
Croûte croquante au chocolat, 268
Flan, 257
Flan à l'abricot, 262
Flan à la citrouille et à l'érable, 260

Flan à l'érable, 259
Flan au chocolat, 257
Flan du Sud-Est asiatique à la noix de
coco, 257
Gâteau au fromage et au beurre
d'arachide, 272
Gâteau au fromage Mochaccino, 267
Gâteau au fromage style New York,
269
Pêches au caramel, 263
Sauce au chocolat sans sucre, 272
Dinde
Ailes de dinde barbecue, 94
Ailes de dinde braisées aux
champignons, 93
Albondigas en salsa chipotle, 210
Boulettes de viande barbecue aux
canneberges, 26
Cuisses de dinde aux chipotles, 97
en sauce aux champignons, 98
Pain de viande à la dinde aux saveurs
thaïes, 258
Pain de viandes mélangées de Morty,
205
Potage de saucisse à la dinde, 230
Rôti de dinde aux canneberges et à la
pêche, 92

E

Épinards
Casserole d'épinards au parmesan, 239
Macadangdang, 240
Œufs florentins de Maria, 49
Potage au chou-fleur, aux épinards et
au fromage, 216
Trempette à l'artichaut, aux épinards
et à la ranch, 38
Érable
Corned-beef glacé à l'érable et ses
légumes, 103
Côtes levées épicées à l', 162

Flan à l', 259
Flan à la citrouille et à l', 260
Noix glacées à l', 47
Saumon à l'érable et au vinaigre balsamique, 196

F

Fauxtates, 243
    à l'ail et aux herbes italiennes, 244
    à l'oignon et à l'ail, 246
    À propos des, 243
    barbecue au cheddar, 243
    nec plus ultra, 292
    ranch à l'échalote verte, 245
Fèves cuites au four, 248
Fèves de soja noir
    À propos des fèves de soja noir, 15
    Chili 911, 124
    Fèves cuites au four, 248
    Minestrone au poulet, 226
    Potage de haricots noirs, 214
    Poulet à la toscane, 87
    Ragoût Brunswick, 212
    Ragoût de porc à la manière du Sud-Ouest, 154
    Ragoût mexicain, 122
    Soupe mexicaine au bœuf et aux haricots, 225
Fèves germées
    Porc Mu Shu, 157
Flan,
    à l'abricot, 262
    à la citrouille et à l'érable, 260
    à l'érable, 259
    au chocolat, 256
    du Sud-Est asiatique à la noix de coco, 258
Fleur-riz, 290
Fromage
    Fauxtates barbecue au cheddar, 243
    Potage au chou-fleur, aux épinards et au, 216
    Potage bistro, 228
    Quiche au brocoli, au bacon et au Colby, 50
    Trempette au fromage et au bacon, 34
Fruits de mer
    Casserole de fruits de mer du garde-manger, 200
    Chaudrée de fruits de mer, 231
    Chaudrée de palourdes Nouvelle-Angleterre à la façon de Maria, 220
    Coquilles Saint-Jacques à la lime, 194
    Crevettes aigres-douces, 198
    Crevettes des jours de fête, 30
    Marmite thaïe épicée, 78
    Trempette chaude au crabe, 37
    Voir aussi Poisson

G

Garam masala, 287
Gâteaux au fromage, 266
    Mochaccino, 267
    style New York, 269
Gingembre (racine de), 20
Graines de citrouille
    Grignotines de Dana, à la mijoteuse, 41
    Longe de porc à l'orange, 155
Grenoble. *Voir* Noix de Grenoble
Grignotines de Dana, à la mijoteuse, 41
Grignotines et hors-d'œuvre chauds
    Amandes au beurre épicé, 46
    Arachides fumées au chili, 46
    Grignotines de Dana, à la mijoteuse, 41
    Noix de Grenoble assaisonnées au fromage bleu, 42
    Noix glacées à l'érable, 47
    Pacanes au cari, 45
    Pacanes aux épices cajuns, 43
    Pacanes confites, 43
    Pacanes épicées, 44

Guar (gomme de), 20

H

Hamburger. *Voir* Bœuf
Haricots
    À propos des fèves de soja noir, 15
    Casserole de haricots verts, 237
    Chili 911, 124
    du Sud, 235
    Fèves cuites au four, 248
    Minestrone au poulet, 226
    piquants, 235
    Potage de haricots noirs, 214
    Poulet à la toscane, 87
    Ragoût Brunswick, 212
    Ragoût de porc à la manière du Sud-Ouest, 154
    Ragoût mexicain, 122
    Soupe mexicaine au bœuf et aux, 225
    verts barbecue, 234
    Voir aussi Fèves de soja noir
Haricots verts
    Casserole de, 237
    barbecue, 234
    du Sud, 235
    piquants, 235
    Porc braisé aux légumes et sauce crémeuse aux champignons, 144
    Poulet et boulettes de pâte, 82
    Soupe au poulet et aux légumes avec épices thaïes, 222
Hoisin. *Voir* Sauce
Hors-d'œuvre chauds
    Ailes de poulet glacées, 25
    Boulettes de viande au colombo avec sauce Jerk, 28
    Boulettes de viande barbecue aux canneberges, 26
    Crevettes des jours de fête, 30
    Pâté au foie de poulet, 39
    Saucisses de Francfort à l'orange, 33
    Saucisses de Francfort au raifort, 32

    Saucisses joyeuses, 31
    Voir aussi Grignotines et hors-d'œuvre chauds ; Trempette
Hot-dogs
    Saucisses joyeuses, 31

I

Ingrédients courants et moins courants, 15

J

Jambon
    à la moutarde et au miel, 148
    aux navets et aux rutabagas, 149
    Paella, 208
    Potage de haricots noirs, 214
    Ragoût Brunswick, 212
    Ragoût crémeux au, 149
Jarret d'agneau
    à la cachemirienne, 188
    au citron, 187
    au vin rouge, 186
    vraiment simple, 189

K

Ketatoes, 21
Ketchup sans sucre de Dana, 276

L

Lanières de porc fumées à la mijoteuse, 170
Lime
    Ailloli à l'avocat, 118
    Barbecue du Sud-Ouest, 81
    Boulettes de viande au colombo avec sauce Jerk, 28
    Burritos au poulet, 54

Chutney aux canneberges et aux pêches, 252
Coquilles Saint-Jacques à la, 194
Côtes levées à la Key West, 161
Flan du Sud-Est asiatique à la noix de coco, 258
Marmite thaïe épicée, 78
Pain de viande à la dinde aux saveurs thaïes, 95
Poulet Vindaloo, 61
Soupe au poulet et aux légumes avec épices thaïes, 222
Longe de porc
    à l'orange, 155
    Porc à l'orange et au romarin, 145
    Porc aigre-doux, 151

M

Macadangdang, 240
Maria
    Asperges de, 238
    Chaudrée de palourdes Nouvelle-Angleterre à la façon de, 220
    Œufs florentins de, 49
Marmite thaïe épicée, 78
Mélasse noire, 16
Miel (substitut sans sucre), 23
Mijoteuse(s)
    À propos des, 7
    Exploration de la, 7
    Temps de cuisson à la, 216
Minestrone au poulet, 226
Mockahlua, 289
Moka à la cannelle, 265
Mole poblano (poulet au chocolat), 73

N

Nam pla (sauce au poisson), 19
Navet(s)
    Bouilli de la Nouvelle-Angleterre, 102

Corned-beef glacé à l'érable et ses légumes, 103
Côtes levées à la choucroute et aux pommes, 165
Jambon aux navets et aux rutabagas, 149
Minestrone au poulet, 226
Poulet aux carottes, au chou, aux navets et aux aromates, 64
Poulet et boulettes de pâte, 82
Poulet et légumes à la bière, 89
Purée de, 247
Ragoût d'os de cou de porc au chou et au, 176
Ragoût de porc aux pommes, 153
Ragoût réconfortant, 123
Noix. *Voir* chacune des variétés de noix
Noix de cajou
    Grignotines de Dana, à la mijoteuse, 41
Noix de Grenoble
    assaisonnées au fromage bleu, 42
    Grignotines de Dana, à la mijoteuse, 41
    Noix glacées à l'érable, 47
Noix de pécan. *Voir* Pacanes
Noix et graines rôties
    À propos des, 41
Noix glacées à l'érable, 47
Nuoc mam (sauce au poisson), 19

O

Œufs
    florentins de Maria, 49
    Quiche au brocoli, au bacon et au Colby, 50
Orange
    Longe de porc à l', 155
    Porc à l'orange et au romarin, 145
    Porc glacé à l'orange, 163
    Poulet avec sauce crémeuse à l', 86
    Poulet teriyaki à l', 75
    Saucisses de Francfort à l', 33

Sole farcie aux amandes et beurre à l', 197

Os du cou
    À propos des, 176

P

Pacanes
    au cari, 45
    aux épices cajuns, 43
    confites, 43
    épicées, 44
    Grignotines de Dana, à la mijoteuse, 41
Paella, 208
Pâté au foie de poulet, 39
Pâte de piments et d'ail, 19
Pêche(s)
    au caramel, 263
    Chutney, 250
    Chutney aux canneberges et aux, 252
    Crevettes aigres-douces, 198
    Rôti de dinde aux canneberges et à la, 92
Piments. *Voir* Pâte de piments et d'ail
Piments chipotles en conserve, 19
Plats d'accompagnement, 233
Plats échappant à une classification systématique, 203
Pois mange-tout
    Crevettes aigres-douces, 198
    Marmite thaïe épicée, 78
Poisson
    Darnes de saumon à la moutarde et au citron, 195
    sauce au, 19
    Saumon à l'érable et au vinaigre balsamique, 196
    Sole farcie aux amandes et beurre à l'orange, 197
    Voir aussi Fruits de mer
Poivrons farcis, 179

Pommes
    Côtes levées à la choucroute et aux, 165
    Ragoût de porc aux, 153
Porc
    à l'orange et au romarin, 145
    aigre-doux, 151
    au chou, 146
    aux rutabagas, 147
    Barbecue à la mijoteuse, 166
    braisé au fenouil, 140
    braisé aux abricots, 143
    Chili au, 156
    Cocido de Puerco, 178
    Côtelettes de porc à la moutarde et à l'oignon, 182
    Côtelettes de porc acidulées, 181
    Côtes levées à la choucroute, 164
    Côtes levées à la choucroute et aux pommes, 165
    Côtes levées à la Key West, 161
    Côtes levées à la polynésienne, 167
    Côtes levées asiatiques épicées, 160
    Côtes levées au gingembre et au romarin, glacées à l'abricot, 173
    Côtes levées au soja et au sésame, 168
    Côtes levées épicées à l'érable, 162
    Côtes levées épicées et fruitées, 172
    Côtes levées teriyaki, 171
    Côtes levées teriyaki à la tangerine, 169
    Daube de porc facile, 142
    glacé à l'orange, 163
    Lanières de porc fumées à la mijoteuse, 170
    Longe de porc à l'orange, 73
    Os du cou et « riz », 177
    Pain de viandes mélangées de Morty, 205
    Ragoût d'os de cou de porc au chou et au navet, 176
    Ragoût de porc à la manière du Sud-Ouest, 154

Ragoût de porc au cari, 152
Ragoût de porc aux pommes, 153
Voir aussi Jambon ; Saucisses
Porc braisé
  au fenouil, 140
  aux abricots, 143
  aux légumes et sauce crémeuse aux
  champignons, 144
  Daube de porc facile, 142
  Porc au chou, 146
Potage
  allemand (sans pommes de terre), 218
  au chou-fleur, aux épinards et au
  fromage, 216
  bistro, 228
  Bollito misto, 215
  Chaudrée de fruits de mer, 231
  Chaudrée de palourdes Nouvelle-
  Angleterre à la façon de Maria, 220
  de haricots noirs, 214
  de poulet et de champignons épicé,
  227
  de saucisse à la dinde, 230
  (sans pommes de terre), 217
  Voir aussi Soupe
Poulet
  Ailes de poulet glacées, 25
  à la guadeloupéenne, 90
  à la méditerranéenne, 74
  à la sauce framboise et aux chipotles,
  62
  à la toscane, 87
  au cari et au lait de coco, 60
  au citron, 68
  au paprika, 58
  aux carottes, au chou, aux navets et
  aux aromates, 64
  avec sauce crémeuse à l'orange, 86
  avec sauce crémeuse au Raifort, 85
  Barbecue du Sud-Ouest, 81
  Bollito misto, 215
  Bols de poulet à la thaïe, 76

Burritos au poulet, 54
cacciatore, 57
Chili au poulet facile à faire, 55
Chili verde au poulet, 56
des années 1960 à la manière de ma
mère (révisée), 71
épicé aux agrumes, 66
et boulettes de pâte, 82
et légumes à la bière, 89
et légumes à l'italienne, 67
« J'ai une vie ! », 88
Marmite thaïe épicée, 78
Minestrone au poulet, 155
Mole poblano (poulet au chocolat), 73
Paella, 208
Potage de poulet et de champignons
épicé, 227
Poulet teriyaki à l'orange, 75
Poulet Vindaloo, 61
Ragoût Brunswick, 212
Ragoût de, 63
Ragoût de poulet à l'éthiopienne, 91
Soupe au poulet et au riz sauvage, 223
Soupe au poulet et aux légumes avec
épices thaïes, 222
Yassa, 79
Purée de navets, 247

Q

Queue de bœuf Pontchartrain, 131
Quiche au brocoli, au bacon et au Colby,
50

R

Racines de gingembre. *Voir* Gingembre
(racine de)
Ragoût
  à pizza, 207
  avec aïlloli à l'avocat, 117
  Brunswick, 212

Carne all'Ungherese, 125
crémeux au jambon, 149
d'agneau à la provençale, 190
de bœuf et de courgettes, 128
de bouts de côtes de bœuf, 116
de porc à la manière du Sud-Ouest, 154
de porc au cari, 152
de porc aux pommes, 153
de poulet à l'éthiopienne, 91
d'os de cou de porc au chou et au navet, 176
mexicain, 122
réconfortant, 123
romain, 121
Yassa, 79
Ragoût de porc
à la manière du Sud-Ouest, 154
au cari, 152
aux pommes, 153
Cocido de Puerco, 178
Rhubarbe
Dessert à la, 264
Rôti braisé
au vinaigre balsamique, 106
bavarois, 107
pékinois, 135
presto, 132
Rôti de dinde aux canneberges et à la pêche, 92
Rutabagas
Jambon aux navets et aux, 149
Longe de porc à l'orange, 155
Porc aux, 147

S

Sauce
à la moutarde du Piedmont, 280
au chocolat sans sucre, 288
au poisson, 19
au vinaigre de la Caroline de l'Est, 281
aux canneberges, 251
barbecue Kansas City de Dana, 279
barbecue soleil de la Floride, 278
cocktail, 277
framboise et aux chipotles, 62
Hoisin, 282
teriyaki faible en glucides, 283
Sauces barbecue
Kansas City de Dana, 279
soleil de la Floride, 278
Saucisses
Bollito misto, 215
de Francfort à l'orange, 33
de Francfort au raifort, 32
Paella, 208
Poivrons farcis, 179
Potage allemand (sans pommes de terre), 218
Potage de saucisse à la dinde, 230
Ragoût à pizza, 207
Sauerbraten, 111
Saumon
Darnes de saumon à la moutarde et au citron, 195
à l'érable et au vinaigre balsamique, 196
Sel aux herbes, 23
Soja noir. *Voir* Fèves de soja noir
Sole farcie aux amandes et beurre à l'orange, 197
Soupe
au poulet et au riz sauvage, 223
au poulet et aux légumes avec épices thaïes, 222
Crème de champignons, 221
mexicaine au bœuf et aux haricots, 225
Minestrone au poulet, 226
Voir aussi Potage
Splenda, 23
Substitut de miel sans sucre. *Voir* Miel

T

Thon
    Casserole de fruits de mer du garde-
    manger, 200
Tortillas à faible teneur en glucides, 22
Trempette
    à l'artichaut, aux épinards et à la
    ranch, 38
    au fromage et au bacon, 34
    chaude au crabe, 37
    chaude aux artichauts, 36
    Bagna Cauda, 35

V

Volaille
    À propos de la, 53
    Voir Dinde : Poulet

X

Xanthane (gomme de), 20

Y

Yassa, 79

Remerciements

Je tiens à exprimer mes remerciements :

À ma grande amie, Maria Vander Vloedt, qui a évalué de nombreuses recettes de ce livre. Elle est la vérificatrice parfaite ! En plus d'être intelligente, amusante et fiable, elle sait comment cuisiner, peut suivre les instructions tout en faisant des commentaires constructifs et respecte une alimentation faible en glucides. Et, facteur non négligeable, elle a un mari et cinq gamins à qui faire goûter mes recettes ! Merci pour tout, Maria.

À ma sœur, Kim, qui est toujours prête à goûter une nouvelle recette ; à mon copain, Ray Stevens, qui a évalué plusieurs recettes quand le temps commençait à presser. Merci à vous deux !

Et comme toujours, à mon mari, Eric Schmitz. Dieu merci, je l'ai épousé ! Je ne pourrai jamais trouver toutes ses qualités réunies chez une autre personne. Il est si agréable de l'avoir à la maison.

Et à ma rédactrice, Holly, qui m'a motivée pour écrire ce livre. Ce fut une expérience beaucoup plus agréable que je ne l'aurais pensé.

Autres livres de Dana Carpender
aux Éditions AdA

Pour obtenir une copie
de notre catalogue
veuillez nous contacter :
AdA
1385, boul. Lionel-Boulet
Varennes, Québec
J3X 1P7
Fax : 450.929.0220
info@ada-inc.com
www.ada-inc.com